LE DESTIN DE
NATHALIE X

Du même auteur

Comme neige au soleil
et « Points », n° P 35

Un Anglais sous les tropiques
roman (1984 épuisé), 1995
et « Points », n° P 10

Les Nouvelles Confessions
roman, 1988
et « Points », n° P 34

La Chasse au lézard
nouvelles, 1990
et « Points Roman », n° R 480

Brazzaville Plage
roman, 1991
et « Points », n° P 33

L'Après-midi bleu
roman, 1994
et « Points », n° P 235

A paraître en broché

Comme neige au soleil
roman, 1985, épuisé

La Croix et la Bannière
roman, 1986, épuisé

WILLIAM BOYD

LE DESTIN DE
NATHALIE X

nouvelles

TRADUITES DE L'ANGLAIS
PAR CHRISTIANE BESSE

ÉDITIONS DU SEUIL
*27, rue Jacob, Paris VI*e

Ce livre est édité par Anne Freyer

La présente édition regroupe les nouvelles publiées dans *The Destiny of Nathalie X* (excepté « La nuit transfigurée » et « Alpes-Maritimes », parues dans *La Chasse au lézard*, Seuil, 1990), et trois nouvelles inédites : « *Memory of the Sausage-Fly* » (« Souvenirs de la mouche-saucisse »), « *Lunch* » (« Déjeuner »), « *Loose Continuity* » (« Continuité souple »).

Titre original : *The Destiny of Nathalie X and Other Stories*
Éditeur original : Sinclair-Stevenson, Londres
ISBN original : 1-85619-570-8
© original : 1995, William Boyd
Premières publications : « The Destiny of Nathalie X »
et « Cork », revue *Granta*
« Hôtel des Voyageurs », *Daily Telegraph*
« The Dream Lover », *London Magazine*
« N is for N », *Hockney's Alphabet* (Faber & Faber, 1993)

ISBN 2-02-025226-0

© Mai 1996, Éditions du Seuil pour la traduction française.

Le destin de Nathalie X

VOIX D'HOMME *(off)* :
J'ai entendu un jour une théorie sur cette ville, cet endroit où on travaille, on se chamaille, on baise et on se fait baiser. Elle m'a été rapportée par un écrivain que je connais. Il m'a dit : « Ça n'est qu'un sport, mais, par ailleurs, c'est le seul et unique. » Je ne suis pas certain qu'il ait eu raison mais de toute façon il est mort maintenant...

Apparition graduelle

Un jour – en fait, tout bien réfléchi, il n'y a pas si longtemps – à l'est du centre de l'Afrique occidentale, par un matin débilitant de mai, Aurélien No, assis sur le perron de la maison de son père, contemplait sans la voir la route qui menait à Murkina Leto, capitale de la République populaire de Kiq. Le soleil, se disait distraitement Aurélien, semblait peser sur le paysage brun et poussiéreux avec une force d'une intensité superflue, il n'y avait certainement plus la moindre trace d'humidité à sécher et ça paraissait... Il chercha le mot une seconde ou deux : ça paraissait « stupide » que toute cette énergie calorifique dût être gaspillée.

Il cria à son petit frère Marius d'aller lui chercher une autre bière, mais aucune réponse ne vint du fond de la maison. Il se gratta la joue ; il avait l'impression de sentir du métal dans sa bouche – ce nouveau plombage. Il remua ses fesses sur son fauteuil en rotin et se demanda vaguement pourquoi le rotin couinait de manière aussi curieuse. Puis son œil fut attiré par la vue d'une petite camionnette bleue avançant au milieu de la route avec ce qui semblait être une vitesse indue, jouant de l'avertisseur à l'adresse d'un rare piéton ou d'une vache en balade moins pour les écarter du chemin que pour annoncer l'importance de sa propre mission.

Un peu surpris, Aurélien vit la camionnette bleue tourner soudain dans l'allée de la maison paternelle et s'arrêter tout aussi brusquement à hauteur de la porte. Tandis que la poussière de latérite soulevée par les pneus se dispersait lentement, le facteur émergea du nuage roussâtre tel un messager des dieux portant devant lui une enveloppe raide gravée d'armoiries impressionnantes.

Marius No. Sûr, que je me souviens du jour où il a remporté le prix. Personnellement, j'ai été ravi de la distraction. Il m'avait emmerdé toute la matinée. « Va chercher ci, va chercher ça, apporte-moi une bière. » J'ai juste constaté que tout s'était calmé pendant dix minutes. Quand je suis sorti sur la véranda, il était là assis, l'air encore plus hébété que d'habitude, à contempler le papier entre ses mains. « Hé, Coco, que je lui ai dit, service militaire, hein ? Pauvre *salaud* ⋆ [1]. Attend que ces cochons de

---

1. Les mots en italique suivis d'un astérisque sont en français dans le texte.

sergents te foutent leur pied au *cul*★. » Il a rien dit, alors je lui ai arraché le papier des mains et je l'ai lu. C'est les cent mille balles qui lui ont flanqué un choc, qui lui ont complètement fermé le clapet.

Quand *Le Destin de Nathalie X* (metteur en scène Aurélien No) remporta à Paris le Prix d'Or au concours général de l'École supérieure d'études cinématographiques (ESEC), le ministre de la Culture de Kiq (le beau-frère d'Aurélien) donna une réception pour deux cents personnes dans les salons du ministère. Après un long discours, le ministre demanda à Aurélien de venir sur le podium lui serrer publiquement la main. Aurélien avait rassemblé ses petites tresses fines en une sorte de gerbe sur le sommet de son crâne et les photos de cette soirée particulière le montrent décontenancé, clignant des yeux dans le flot argenté des flashes, un tressaillement amenant les palmes de sa gerbe de bouclettes à se dresser de conserve dans une même direction, comme soufflées par une forte brise.

Le ministre l'interrogea sur ce qu'il avait l'intention de faire avec l'argent du prix.

– Bonne question, dit Aurélien qui réfléchit environ dix secondes avant de répondre : Une des conditions du prix veut que je réinvestisse l'argent dans un autre film.

– Ici, à Kiq ? fit le ministre avec un sourire entendu.

– Naturellement.

11

Delphine Drelle. « C'est impossible, j'ai dit quand il m'a appelée. Totalement hors de question. Tu es fou? Quelle sorte de film peux-tu faire à Kiq? » Il est venu dans mon appart à Paris, il m'a déclaré qu'il me voulait pour son nouveau film. Je ne veux pas être une actrice, je lui ai dit. Bon, dès que j'ai commencé à m'expliquer, Aurélien a vu que j'avais raison. C'est d'ailleurs ce que j'aime chez Aurélien, il est sensible à la puissance du raisonnement. « Absolument pas, j'ai dit à Aurélien, jamais de la vie. » Il a dit qu'il avait une idée mais que moi seule pouvais la réaliser. J'ai dit : « Regarde ce qui est arrivé la dernière fois, tu crois que je suis dingue? Je n'ai quitté la clinique que depuis un mois. » Il m'a simplement souri. Il m'a dit : « Et si nous allions à Hollywood? »

Aurélien No sortit du parking des voitures de location de l'aéroport de L. A. et s'interrogea sur la direction à prendre. Delphine Drelle, à côté de lui, examinait attentivement son visage dans le miroir de son poudrier en gémissant sur l'effet déshydratant des voyages aériens internationaux. A l'arrière, Bertrand Holbish, photographe et ex-petit ami de Delphine, était compressé dans l'espace restreint laissé par deux grandes boîtes en aluminium rayé et cabossé qui contenaient la caméra et l'équipement sono.
Aurélien vira à gauche, roula sur quatre cents mètres et tourna de nouveau à gauche. Il aperçut

un panneau indiquant l'autoroute et la suivit jusqu'à un hôtel dont il vit, tout en se garant avec soin dans la cour, qu'il s'appelait l'auberge Écodollar. L'hôtel était un rectangle de six étages. Le revêtement de plastique orange sur les balcons avait tourné au rose saumon sous l'effet du soleil.

– Et voilà, dit Aurélien. C'est parfait.

– Où est Hollywood? demanda Bertrand Holbish.

– Peut pas être très loin, répliqua Aurélien.

Bertrand Holbish. Dès qu'il me l'a demandé, j'ai tout de suite prévenu Aurélien que je ne m'y connaissais pas beaucoup en son. «Tu branches, il m'a dit, tu pointes sur le volume. Non, tu vérifies le volume et tu pointes la, ah, le mot m'échappe?... Quoi? Ah oui, la perche.» Je lui ai demandé: «Tu payes mon billet? Tu me payes la came?» «Bien sûr qu'il a dit, simplement tu ne touches pas à Delphine.» (Il rit, tousse.) C'est de l'Aurélien tout craché, il est cinglé ce mec.

Delphine Drelle. Vous ai-je dit que c'était un type très séduisant, Aurélien? Oui? Un véritable Africain, vous comprenez, un visage énergique, un visage africain énergique... et ses lèvres, on les croirait sculptées. Il est grand, mince. Il a des cheveux comme ceux de ce joueur de tennis, Noah, des sortes de petites tresses qui lui tombent sur le front. Des fois, il met des perles de couleur au bout. J'aime pas tellement. Je voudrais qu'il se rase la tête. Complètement. Il parle vraiment bien l'anglais, Aurélien. Je ne le savais pas. Je lui ai demandé un jour comment il prononçait son nom et il a dit quelque chose comme « Ngoh ». Il dit que c'est un nom courant à Kiq. Mais tout le monde le prononce différemment. Il s'en fiche.

Quand Aurélien sortit le lendemain pour repérer des lieux de tournage, il découvrit que le quartier où ils habitaient s'appelait Westchester. Il traversa les rues sans caractère – inhabituellement larges, pensa-t-il, pour un quartier aussi inactif –, l'air lourd et retentissant du tonnerre de jets à l'atterrissage, jusqu'à ce qu'il trouve un petit groupe de boutiques sous une enseigne tournante proclamant « Minicentre Brogan ». Il y avait un charcutier-traiteur, une pharmacie, un magasin de nouveautés, une épicerie coréenne et un café-pizzeria qui possédait tout ce qu'il cherchait : une demi-douzaine de tables sur le trottoir, un personnel en majorité mâle, une licence de vente de boissons alcoolisées. Il entra, commanda un *capuccino* et demanda à quelle heure on fermait le soir : tard, lui répondit-on. Pour la première fois depuis sa suggestion de venir à Los Angeles, Aurélien éprouva une légère excitation. Peut-être allait-ce être possible, après tout. Il examina les visages basanés impassibles des hommes derrière le comptoir et les jeunes garçons pleins d'entrain qui servaient les nourritures et les consommations. Il fut certain que ces messieurs lui permettraient de tourner dans leur établissement – moyennant une modeste redevance, bien entendu.

Michael Scott Gehn. Avez-vous vu *Le Destin de Nathalie X*? Un film extraordinaire, extraordinaire. Non, je vous le dis, je le mettrais tout en haut, avec *Un Chien andalou, Last Walk* de J. J. Todd, *Chelsea Girls* d'Andy Warhol et *Chafed Elbows* de Downey. Cette catégorie. Surréaliste, bizarre... Inutile de tourner autour du pot, il est par moments parfaitement incompréhensible, mais quelque part ça fait mouche. Dans le genre sous-cutané. Voyez-vous, je passe plus de temps à penser à certaines scènes de *Nathalie* qu'au programme annuel de la Warner. Et ça, c'est mon business, que puis-je dire de plus? Vous fumez? Avez-vous une violente objection à ce que je le fasse? Merci, vous êtes bien aimable. Je ne plaisante pas, on n'est jamais trop prudent ici. *Nathalie X...* OK. C'est très simple et supérieurement intelligent. Une fille se réveille dans son lit dans sa chambre...

Aurélien consulta sa carte. Delphine et Bertrand, lunettes de soleil, maussades, regardaient par-dessus son épaule.
– Il faut aller d'ici... à ici.
– Aurélien, quand va-t-on tourner?
– Demain. Peut-être. D'abord on traverse.

15

Les épaules de Delphine s'affaissèrent :

– Mais on a la pellicule. Pourquoi on ne commence pas ?

– Je ne sais pas. J'ai besoin d'une idée. Traversons.

Aurélien prit Bertrand par le coude et l'entraîna pour traverser la rue. Du pouce et de l'index de ses deux mains, il forma un rectangle dont il encadra Delphine tandis qu'elle s'appuyait au signe de sortie de l'auberge Écodollar.

– Tourne à droite, cria-t-il de l'autre côté de la route. Je t'indiquerai le chemin.

Michael Scott Gehn. ...une fille se réveille dans son lit dans sa chambre, quelque part dans Paris. Elle se lève et se maquille, très lentement, très posément. Pas de musique, simplement le bruit de ses gestes. Enfin quoi, vous voyez, elle se peint les ongles, elle se met du mascara. Elle fredonne un peu, elle commence à se chanter quelque chose, des bribes d'une chanson en anglais. Une chanson des Beatles, du « White Album », comment ça s'appelle ? Ah, oui, *Rocky Racoon*. Cette fille est française, d'accord, et elle chante en anglais avec un accent français, juste pour elle. La chanson sonne totalement différente. Totalement. Un effet extraordinaire. Chair de poule des pieds à la tête. Ça dure vingt, trente minutes. Vous êtes complètement, mais alors complètement pris. Vous oubliez le temps qui passe. Que quelque chose d'aussi – ne tournons pas autour du pot – d'aussi banal puisse vous prendre de cette manière. Extraordinaire. Il ne s'agit ici que de trucs quelconques, d'infimes détails journaliers. Je vois, quoi, deux cent cinquante films par an dans ma profession, sans compter la télé. Je déborde de films. J'en suis saturé. Mais je suis accroché. Non, hypnotisé serait plus juste. (Un silence.) Vous ai-je dit que la fille était nue ?

– Tourne à gauche, cria Aurélien.
Delphine obéit et longea la façade en miroir d'un immeuble de bureaux.
– Stop !
Aurélien nota quelque chose sur la carte et se tourna vers Bertrand.
– Qu'est-ce qu'elle pourrait faire ici, Bertrand ? Il faut qu'elle fasse quelque chose.
– Je ne sais pas. Comment pourrais-je savoir ?
– Un truc l'oblige à s'arrêter.
– Elle pourrait marcher sur une merde de chien.
Aurélien réfléchit un instant. Il regarda autour de lui : le béton craquelé de la rue, le brillant poussiéreux des rares voitures garées. La lumière avait ce jour-là quelque chose de décoloré, de fumeux, un éclat étouffé qui blessait les yeux. L'air trembla tandis qu'un autre Jumbo se hissait hors de l'aéroport.
– Pas une mauvaise idée, dit-il. Merci, Bertrand. OK, cria-t-il à Delphine, va au bout de la rue et tourne à gauche.

Michael Scott Gehn. J'ai écrit beaucoup au sujet de ce film, je l'ai analysé à en crever, la manière dont il est tourné, la manière dont il manipule l'ambiance, mais ce n'est que l'autre jour que je me suis rendu compte de la manière dont il fonctionnait. Essentiellement, fondamentalement. Tout est dans le titre, voyez-vous. *Le Destin*. *Le Destin de Nathalie X*. Le Destin. Que réserve le destin à cette fille, je devrais dire à cette fille prodigieusement séduisante ? Elle se lève, elle se maquille, elle fredonne une chanson, elle s'habille. Elle quitte son immeuble et marche dans les rues de Paris jusqu'à un café. C'est le soir. Elle s'assied dans ce café et commande une bière. Nous l'observons, nous attendons. Elle boit d'autres bières, elle semble s'enivrer. Les gens vont et viennent. Nous attendons. Nous nous demandons : Quel est le destin de Nathalie X ? (Ça se prononce IX en français. Pas EX, IX.) Et puis ? Mais je ne veux pas vous gâcher le film.

Ils commencèrent à filmer le sixième jour après leur arrivée à Los Angeles. En fin d'après-midi – une heure magique ou presque –, alors que le soleil orange baignait la ville d'une épaisse lumière visqueuse. Aurélien tourna la séquence du passage devant l'immeuble en verre. L'ensemble des nuages se déplaçant sur le mur de miroirs était d'une beauté troublante. Aurélien regretta un instant de filmer en noir et blanc.

Delphine portait une jupe noire courte, un chandail de cachemire taupe à décolleté en V (pas de soutien-gorge), et, aux pieds, des mocassins en veau naturel, si fins qu'on aurait pu les rouler en boule. Plus un sac en daim à franges sur l'épaule. Ses longs cheveux étaient décolorés en un blond sable léger et – après force discussions – coiffés lâches.

Aurélien installa la caméra de l'autre côté de la rue pour la première prise. A côté de lui, Bertrand pointait son microphone en direction de Delphine.

Aurélien mit la caméra en marche, inscrivit « scène un » sur le clap, le cadra, le fit cliqueter et lança : « *Vas-y Delphine !* * »

Nathalie X longea le trottoir. Arrivée au milieu du mur en miroir, elle s'arrêta. Elle ôta une de ses chaussures et décolla un morceau de chewing-gum de la semelle. Elle plaqua le chewing-gum sur le mur, remit sa chaussure et poursuivit son chemin.

Michael Scott Gehn. Je dois dire qu'en fait de geste de mépris à l'égard du matérialisme occidental, de la macrostructure capitaliste dans laquelle nous fonctionnons, c'est le pompon. Et ça, ça ne figure pas dans la version française. Voilà à peine six jours qu'Aurélien est à Los Angeles et il nous sort quelque chose d'aussi succinct, d'aussi tristement manifeste. C'est ce que j'appelle le talent. Pas un talent brut de décoffrage, un talent de la plus haute sophistication.

Bertrand Holbish. La manière dont Delphine a coupé ses cheveux, voyez-vous, c'est la clé, je crois. Ils sont blonds, n'est-ce pas? Longs, avec une frange, OK? Mais pas la frange à tout le monde. Elle est tout bonnement trop longue. Elle lui vient sous les cils. Jusqu'ici (geste) au milieu du nez. Alors, elle secoue la tête tout le temps pour se dégager un peu la vue. Elle la rabat de côté – comme ça – d'un doigt quand elle veut voir quelque chose un peu mieux... Vous comprenez, beaucoup, beaucoup de gens regardent Delphine et trouvent ça très excitant, je veux dire sexuelle-ment. C'est une jolie fille, pour sûr, joli corps, joli visage. Mais j'en vois des comme ça partout. Sur-tout à Los Angeles. C'est cette histoire de frange qui la rend différente. Les gens la regardent tout le temps. En attendant Aurélien, nous – Delphine et moi – on jouait au backgammon. Des heures durant. La frange, pendouillant là, sur ses yeux. Ça me faisait foutrement flipper. Je lui ai offert cinq cents dollars pour la couper d'un centimètre, rien qu'un centimètre. Elle a refusé. Elle savait, Delphine, elle savait.

Aurélien tourna en premier le trajet jusqu'au café. Il lui fallut quatre jours, commençant tard l'après-midi, arrivant toujours près du café au crépuscule. Il tourna le lever de Nathalie en une seule séance continue de douze heures. Delphine se réveilla, se maquilla, chanta et s'habilla huit fois ce jour-là en une série de longues prises, avec des pauses seulement quand la pellicule était épuisée. La chanson changea : Delphine chanta le *She belongs to me* de Bob Dylan avec le pronom changé en « *He* ». Une idée due à Delphine et une bonne, selon Aurélien, le seul problème étant qu'elle l'oubliait tout le temps. « *He's an artist, she don't look back* », chantait Delphine de sa voix blanche, sans attaque, tout en se coiffant. « *He never stumbles, she's got no place to fall.* »

Chaque soir, ils allaient dîner à la pizzeria. Aurélien insistait pour que Delphine s'enivre, pas à en marcher sur les genoux mais suffisamment pour être dans les vaps. Les serveurs avaient fini par les connaître et des conversations s'en étaient suivies. « Au fait, qu'est-ce que vous fabriquez les enfants ici ? Un film ? Formidable. Une autre bière pour la dame ? Pas de problème. »

Au bout d'une semaine de fréquentation régulière, Aurélien demanda au propriétaire, un petit homme nerveux appelé George Malinverno s'il pouvait filmer dehors sur la terrasse de la pizzeria, pour une nuit seulement. Ils s'accordèrent sur une rémunération de deux cents dollars.

Michael Scott Gehn. Avez-vous jamais entendu parler du festival du film de Topeka ? Topeka, Kansas ? Non ? Moi non plus. Vous pouvez donc comprendre que j'ai été plutôt fumasse quand mon rédacteur en chef m'a envoyé le couvrir. Ça durait une semaine, avec pour thème « Le Kansas dans le western 1970-1980 ». Ce n'est pas mon domaine, mon dernier livre traitait de l'œuvre de Murnau, nom de Dieu, mais ne nous laissons pas entraîner dans les histoires de bureau. Le résultat, c'est que me voilà en route pour l'aéroport et je me rends compte que j'ai oublié mon rasoir et ma mousse à raser. Je m'arrête dans ce minicentre commercial où j'avise une pharmacie. Je sors de la boutique quand je vois une équipe qui se prépare à filmer devant la pizzeria. Normalement, dès que j'aperçois une équipe de tournage, je suis pris de catatonie chronique. Mais celle-ci a quelque chose de particulier : le type qui tient la perche-micro paraît complètement bourré – même moi je vois bien qu'il n'arrête pas de se coller dans le champ. Alors je m'approche. La caméra est installée derrière des plantes, elle pointe dans une troué, comme si elle était cachée ou Dieu sait quoi. Et y a ce noir derrière la caméra avec ces cheveux superbes pleins de perles. Je comprends qu'il est directeur de production, clapman et metteur en scène. Il crie dans la nuit et cette fille sensationnelle s'avance sur le trottoir de la pizzeria. Elle s'assied, commande une bière, et ils continuent simplement de filmer. Au bout de deux minutes, le type du son laisse tomber sa perche et ils sont obligés de recommencer. Je les entends parler – en français. Je n'arrive pas à y croire. J'imaginais en ce type un jeune voyou ambitieux de metteur en scène tout droit sorti de la banlieue chaude de Los Angeles. Mais ils se parlent en français. Depuis quand a-t-on vu une équipe française tourner un film dans cette ville ? Je me suis présenté et c'est alors qu'il m'a parlé de *Nathalie X* et du Prix d'Or. Je leur ai payé une tournée à tous, il m'a raconté son histoire et il m'a donné une vidéo de son film. Que Topeka aille se faire foutre, je me suis dit. Je savais que ça c'était trop bien pour le rater. Des cinéastes underground français en train de filmer à côté de l'aéroport de L. A. Vous rigolez ? Ils habitaient un motel à puces sous l'échangeur, nom de Dieu. J'ai appelé mon rédacteur en chef et je l'ai menacé de donner mon papier à *American Film*. Il m'a réaffecté.

La nuit de tournage à la pizzeria ne fut pas un succès. Bertrand se révéla incapable de tenir sa perche convenablement plus de deux minutes, or il s'agissait d'une séquence pour laquelle Aurélien savait qu'il avait besoin de son. Il perdit une demi-heure à coller un micro sous la table de Delphine et à enrouler les fils derrière les plantes en pot. Puis un type qui se prétendait critique de film se pointa et leur proposa un verre. Pendant qu'Aurélien lui parlait, Delphine but trois margaritas et un negroni. A la reprise du tournage, ses réflexes s'étaient tellement ralentis qu'au moment où elle se rappela qu'elle devait jeter son verre de bière le serveur avait tourné les talons, et elle rata complètement son coup. Aurélien arrêta les frais pour la nuit. Holbish se tira et Aurélien reconduisit Delphine à l'hôtel. Elle vomit dans le parking, se mit à pleurer et c'est alors qu'Aurélien pensa au revolver.

Kaiser Prevost. Je lis rarement *film/e*. C'est beaucoup trop prétentieux. Idem pour ce minable de Michael Scott Gehn. Un mec avec trois noms et je vois rouge. Qu'est-ce qui cloche avec Michael Gehn tout court? Y a-t-il tellement de Michael Gehn dans le coin qu'il lui faille se distinguer, celui-là? « Ah, vous voulez dire Michael *Scott* Gehn, j'y suis maintenant. » Je voudrais un Teacher's ras bord, avec trois cubes de glace. Trois. Merci. En tout cas, pour une raison quelconque, je l'ai acheté cette semaine-là – c'était le numéro avec cette superbe photo de Jessica, non, de Lanier sur la couverture – et j'ai lu le papier sur ce metteur en scène français Aurélien No et le remake *Seeing through Nathalie* qu'il tournait en ville. Gehn, pardon, Michael Scott Gehn, en remet comme si ce type était là à tenir la main de Dieu, et je lis l'histoire du Prix d'Or et du film *Nathalie X* et je me dis, hum, est-ce que cet Aurélien a un agent. Ça c'est du Haig. C'est pas du Teacher's.

Michael Scott Gehn. Je le savais. J'ai tout de suite su quand ce jeune type Kaiser Prevost m'a appelé que les choses allaient changer. « Salut, Michael, ici Kaiser Prevost. » Je n'ai jamais entendu parler d'un foutu quidam nommé Kaiser Prevost, mais je sais que je déteste que quiconque m'appelle d'emblée par mon prénom – qu'est-ce qui cloche avec Mr Gehn? Et puis son ton présumait, débordait de la certitude que j'allais immédiatement l'identifier. Enfin, quoi, je suis un critique de cinéma réputé, si je puis manquer de modestie un instant, et ces jeunes employés d'agences... Un problème de perspective, voilà à quoi ça se résume, voilà ce qui empoisonne tout. J'ai une théorie au sujet de cette ville : on n'a pas de vue d'ensemble, personne ne prend de recul, personne ne monte sur la montagne pour contempler la vallée. Imaginez une armée composée entièrement d'officiers. Laissez-moi l'exprimer autrement : imaginez une armée où chacun pense être un officier. Ça, c'est Hollywood, ça, c'est le milieu du cinéma. Personne ne veut accepter la hiérarchie, personne ne veut s'avouer fantassin. Et je suis désolé, mais un jeune employé dans une boutique d'agence n'est qu'un quelconque GI pour moi. Tout de même, c'était un garçon persuasif et il avait des choses fines et flatteuses à dire à propos de l'article. Je lui ai révélé où habitait Aurélien.

Aurélien No rencontra Kaiser Prevost pour le petit déjeuner dans la cafétéria de l'Écodollar. Prevost regarda autour de lui comme s'il sortait d'un sommeil comateux prolongé.

– Vous savez, j'ai vécu toute ma vie dans cette

ville et je ne crois pas être jamais passé par ici,
même en voiture. Quant à y tourner un film... c'est
une première.

— Eh bien, pour moi c'était ce qu'il me fallait.

— Oh oui, je comprends ça. Je trouve que c'est
nouveau, original. Gehn vous tient certainement
en grande estime.

— Qui?

Prevost lui montra l'article dans *film/e*. Aurélien
le feuilleta.

— Il en a pondu une tartine.

— Avez-vous un premier montage du nouveau
film? Quelque chose que je pourrais voir?

— Non.

— Aucune épreuve de montage? A moins que
vous n'appeliez ça des rushes?

— Il n'y a pas d'épreuves de montage pour ce
film. Aucun d'entre nous ne voit quoi que ce soit
jusqu'à ce qu'il soit fini.

— L'auteur absolu, hein? C'est impressionnant.
Plus encore, c'est cool.

Aurélien gloussa :

— Non, c'est une question de — comment dites-
vous? — *faute de mieux*★.

— Je n'aurais pas pu mieux l'exprimer moi-même.
Écoutez, Aurélien. J'aimerais vous faire rencontrer
quelqu'un, un de mes amis qui appartient à un studio. Puis-je arranger ça? Je crois que ce serait d'un
intérêt mutuel.

— Sûr. Si vous voulez.

Kaiser Prevost. J'ai une théorie au sujet de cette ville, de cet endroit, de la manière dont ça marche : ça fonctionne au mieux quand les gens vont au-delà des limites de la conduite acceptable. Vous atteignez une position, une décision s'impose et vous vous dites : « Ceci me rend moralement inconfortable », ou bien : « Ceci va constituer une trahison d'amitié. » Dans toute autre profession vous battez en retraite, vous réfléchissez encore. Ma théorie au contraire est la suivante – faites-en votre précepte : *Quand on se trouve dans une position de doute normatif, alors c'est le signe qu'il faut y aller.* Ma variation sur cette théorie est que les gens qui ont vraiment réussi font un pas de plus. Une fois dans cette zone morale grise, ils foncent droit dans le noir. Regardez Vincent Bandine.

J'ai su que je faisais ce qu'il fallait avec Aurélien No parce que j'ai décidé de ne pas le dire à mon patron. Sheldon a fondé ArtFocus après dix ans à ICM. Ça marchait bien, mais il est clair que ça commence à craquer. Il y a deux mois, nous avons perdu Larry Swiftsure. Samedi dernier, j'ai eu un appel de Sheldon : Donata Vail s'est tirée chez CAA. Sa petite Donata chérie. Il chialait et cherchait à se faire consoler, ce que j'espère avoir réussi. Dans ces circonstances, il m'a semblé au mieux moralement douteux que j'essaie d'aller conclure dans son dos un accord avec Aurélien à Alcazar. J'ai eu la certitude que c'était la seule route à prendre.

L'idée du revolver persista, elle poursuivait Auré-lien. Il en parla à Bertrand qui la jugea amusante.
– Un revolver, pourquoi pas? Pan-pan-pan-pan.
– Tu peux m'en procurer un? un revolver? demanda Aurélien. Peut-être un de ces types que tu connais...
– Un faux? ou bien un vrai?
– Oh, je crois qu'il en faudrait un vrai. Mais ne le dis pas à Delphine.

Le lendemain, Bertrand apporta à Aurélien un petit automatique éraflé. Il coûtait cinq cents dollars. Aurélien ne posa pas de questions sur sa provenance.

Il refilma la fin du lever de Nathalie. Habillée, la main posée sur la poignée de la porte, Nathalie est sur le point de quitter sa chambre. Elle s'arrête, se retourne, va vers une commode et sort un revolver du tiroir supérieur. Elle vérifie le chargeur et place l'arme dans son sac en daim à franges. Elle part.

Delphine et lui eurent une longue discussion pour décider s'ils devaient refaire le plan de son arrivée devant le restaurant. Delphine pensait que c'était inutile. Comment, arguait-elle, le public saurait si le revolver était dans son sac ou pas? Mais *toi* tu le saurais, contre-attaqua Aurélien, et tout pourrait changer. Delphine maintint qu'elle marcherait de la même manière, qu'elle ait un revolver dans son sac ou pas; et puis ils étaient à Los Angeles depuis trois semaines et elle commençait à s'ennuyer; *Le Destin* avait été tourné en cinq jours. Un compromis fut établi : on ne refilmerait que la séquence de la pizzeria. Aurélien partit négocier une autre nuit de tournage.

Bob Berger. Je déteste l'avouer, mais je fus reconnaissant à Kaiser Prevost de m'apporter le projet *Nathalie X*. Comme je le lui dis, j'admirais le travail d'Aurélien No depuis plusieurs années et j'étais excité et honoré par la possibilité de mettre sur pied son premier film en langue anglaise. Plus précisément les deux derniers films que j'avais produits à Alcazar ne m'avaient pas servi : *Desintegrator* n'avait rapporté que treize mégabriques avant qu'on arrête et *Une nuit à l'Université II* était passé directement en cassette. J'aimais bien l'idée de faire quelque chose avec plus de qualité artistique et sous un angle européen. J'ai demandé à Kaiser de me procurer un script fissa et j'ai parlé du projet à notre réunion du lundi matin. J'ai dit que je croyais que ça ferait un rôle parfait pour Lanier Cross. Nom de Dieu, Vincent a drôlement dressé l'oreille. Sale vieux marcheur (c'est mon oncle).

Kaiser Prevost. Je vais vous dire un truc sur Vincent Bandine. Il a les dents les plus propres et les gencives les plus saines de Hollywood. Chaque matin, un aide-dentiste vient chez lui lui nettoyer les dents. Chaque matin. Trois cent soixante-cinq jours par an. C'est ce que j'appelle la classe. Avez-vous une idée de ce que ça coûte ?

Tandis qu'il le conduisait à la réunion à Alcazar, Kaiser Prevost crut déceler une sorte de trouble chez Aurélien. Celui-ci fronçait les sourcils tout en regardant autour de lui. La journée était parfaite, le temps clair, les couleurs idéalement vives, et mieux encore il se rendait à une réunion pour conclure un contrat avec un petit studio majeur ou un grand studio mineur – selon à qui on parle. D'habitude, dans ces cas, l'atmosphère était chargée d'une anticipation grisante, palpable. Aurélien se contentait de faire des bruits de langue dans sa bouche et de jouer avec les perles au bout de ses tresses. Prevost lui parla d'Alcazar Films, de leur structure financière, leurs dix films en production, leurs contrats signés ou potentiels avec Goldie, Franklin Dean, Joël, Demi, Carlo Sancarlo et Italfilm. Les noms ne semblèrent lui faire aucun effet.

Alors qu'ils prenaient le virage de Coldwater pour entrer dans la vallée, Prevost fut finalement obligé de demander si tout allait bien.

– Il y a un léger problème, admit Aurélien. Delphine est partie.

– Dommage, dit Prevost, essayant de dissimuler son excitation. Repartie en France ?

– Je ne sais pas. Elle est partie avec Bertrand.

– C'est chié, mon vieux.

30

– On a encore toute la dernière scène à refaire.
– Écoutez, Aurélien, calmos. Une chose qu'il faut que vous sachiez au sujet du boulot dans cette ville. Tout peut s'arranger. Tout.
– Comment puis-je finir sans Delphine?
– Avez-vous entendu parler de Lanier Cross?

Vincent Bandine. Mon neveu a deux qualités en or : il est bête et très désireux de plaire. C'est un beau gosse aussi et ça aide, nul doute. Parfois, parfois seulement, il tombe juste. Parfois il a le sens de l'humeur populaire. Quand il a commencé à parler de ce film, *Le Destin de Nathalie*, j'ai cru qu'il était tombé sur la tête jusqu'à ce qu'il mentionne le fait que Lanier Cross serait nue comme un vers durant les trente premières minutes. J'ai dit amenez le Français, ligotez-le moi avec un contrat, collez-le à Lanier. Elle marchera. Elle marchera pour le rôle de la Française. Si ce type, No, ne veut pas marcher, amenez l'Anglais, comment s'appelle-t-il, Tim Pascal, il le fera. Il fera tout ce que je lui dis.
J'ai une théorie sur cette ville : on a trop de respect pour l'art. C'est là où nous commettons toutes nos erreurs, toutes. Mais si on y est obligé, alors je suis prêt à travailler avec, de temps à autre. Surtout si ça me procure Lanier Cross à poil.

Michael Scott Gehn. Quand j'ai appris que cet Aurélien No faisait affaire avec Vincent Bandine à

Alcazar, je me suis senti à la fois suicidaire et étrangement fier. Si vous m'aviez demandé de nommer la pire compagnie possible pour un remake de *Nathalie X*, j'aurais immédiatement dit Alcazar. Mais c'est ce qui me réconforte dans cette bourgade, cet endroit où on s'agite et on se bagarre. J'ai une théorie sur cette ville : ils parlent tous du « business », de l'« industrie », de leur réalisme et de leur obsession des résultats, mais ce n'est pas vrai. Ou plutôt ce n'est pas toute la vérité. De bons films y sont faits et je respecte la ville pour ça. Bon Dieu, j'ai même respecté Vincent Bandine et je n'aurais jamais cru prononcer un jour ces mots. Nous ne devrions pas dire : regardez toute cette merde qui est produite, au contraire nous devrions être étonnés par les bons films qui émergent de temps à autre. Il y a un cœur ici et il bat encore, même si le pouls est un rien filant.

Aurélien fut impressionné par la brutale sobriété du bureau de Bob Berger. Une table d'ébène noir au centre d'une moquette gris anthracite. Deux grands canapés de cuir noir séparés par une épaisse plaque de verre reposant sur trois cônes pointus. Sur un mur deux photos en noir et blanc d'amaryllis et sur l'autre un masque africain. Aucun signe d'activité ni d'instruments de travail à part le long téléphone plat sur la table. Vingt-cinq ans environ, grand et très bronzé, Berger était vêtu de lin froissé couleur banane.

Il serra chaleureusement la main d'Aurélien, lui agrippant fermement l'avant-bras de sa main gauche comme s'il s'apprêtait à hisser un noyé hors d'une tombe aquatique. Il l'attira vers un des canapés de cuir et le fit asseoir. Prevost se glissa à côté de lui. Une grande variété de boissons furent offertes et le choix d'une bière par Aurélien suscita une certaine consternation. L'assistant de Berger fut expédiée avec mission d'en ramener. Les expressos décaféinés de Prevost et de Berger arrivèrent promptement.

Prevost fit un geste en direction du masque :

– *Home, sweet home*, hein, Aurélien ?

– Pardon ?

– J'adore l'art africain, déclara Berger. De quelle région d'Afrique êtes-vous ?

– Kiq.

– C'est vrai, dit Berger.

Suivit un court silence.

– Ah. Félicitations, dit Berger.

– Pardon ?

– Pour le Prix. Le Prix d'Or. Très mérité. Kaiser, avons nous une copie de *Nathalie X* ?

– Nous en faisons venir une de Paris. Elle sera ici demain.

– Vraiment ? s'écria Aurélien, un peu interloqué.

– Tout peut s'arranger, Aurélien.

– Je veux que Lanier le voie. Et Vincent aussi.

– Bob, je ne sais pas si c'est vraiment le genre de Vincent.

– Il faut qu'il le voie. OK, après qu'on aura fait signer Lanier.

– Je crois que ce serait sage, Bob.

– Je veux moi-même le revoir, je dois dire. Extraordinaire film.

– Vous l'avez vu? demanda Aurélien.

– Ouais. A Cannes, je crois. Ou peut-être Berlin. Avons-nous déjà un scénario, Kaiser?

– Il n'y a pas de script. En existence.

– Il nous faut un synopsis. Quelques lignes au moins. Mike va vouloir voir quelque chose sur le papier. Autrement il ne lâchera jamais Lanier.

– Merde. Alors il nous faut un putain de scénariste, dit Prevost.

– David? dit Berger au téléphone. On a besoin d'un scénariste. Trouve-moi Matt Friedrich.

Il se tourna vers Aurélien.

– Il vous plaira. Un type de la vieille école. Quoi?

Il écouta de nouveau le téléphone et soupira.

– Aurélien, on a du mal à dénicher votre bière. Que diriez-vous d'un Dr Pepper?

Bob Berger. J'ai une théorie sur cette ville, cet endroit. Vous avez des gens dans des postes de direction importants qui sont, pour l'exprimer en termes aimables, des gens très quelconques. Je ne parle pas d'intellect, je parle d'apparences. Le problème, c'est que ces gens très quelconques d'allure contrôlent la vie d'individus avec des avantages génétiques sensationnels. C'est un mélange incroyablement explosif, croyez-moi. Et ça joue dans les deux sens : ça peut être terriblement inconfortable. Pour moi ça va, je suis beau garçon, je tiens la forme. Mais pour la plupart de mes collègues... C'est la source d'un bon nombre de nos problèmes. C'est pour ça que je me suis mis au golf.

Lanier Cross. Tolstoï a dit : « La vie est *une tartine de merde*★ que nous sommes obligés de consommer quotidiennement. »

– C'est pour moi ? demanda Aurélien en contemplant la maison, qui s'étendait sur plusieurs niveaux, le vaste jardin paysagé, la gueule béante de l'immense garage.

– Vous ne pouvez pas rester près de l'aéroport, dit Prevost. Plus maintenant. Vous pouvez tourner dans Westchester mais pas y habiter.

Une jeune femme surgit à la porte d'entrée. Des cheveux châtains courts, un large sourire dents blanches, elle portait un justaucorps de latex et de gros godillots montagnards.

– Voici Nancy, votre assistante.

– Salut. Ravie de vous connaître, Aurilien. Ai-je prononcé correctement ?

– Aurélien.

– Aurilien ?

– Aucune importance.

– Le bureau se trouve derrière le court de tennis. Il est en bon état.

– Écoutez, il faut que je file, Aurélien. Vous rencontrez Lanier Cross à sept heures trente au *Hamburger Haven on the Shore*. Nancy arrangera tout.

Puis, à la surprise d'Aurélien, Kaiser Prevost l'embrassa et, en se dégageant, Aurélien crut voir des larmes dans les yeux.

– On va la leur mettre, vieux, on va la leur mettre en plein. Par-devant, par-derrière, en plein dans le babascof.

– Aucune nouvelle de Delphine?

– Qui? Non. Rien encore. Au moindre problème, appelez-moi, Aurélien. Vingt-quatre heures sur vingt-quatre.

Matt Friedrich. *Le Destin de Nathalie X* n'était pas aussi assommant que ce à quoi je m'attendais, mais il faut dire que je m'attendais à un ennui mortel. Je me suis ennuyé, certes, mais c'était agréable de revoir Paris. C'est ce qu'ils ont de merveilleux, les films français, ils portent cette merveilleuse charge de francophilie nostalgique pour tous les publics non français. Jolie fille aussi, agréable à l'œil. Je n'aurais jamais cru pouvoir regarder gaiement une fille se cuiter à la bière dans un café français, mais je l'ai fait. Ça n'a pas été une heure et demie de perdue.

Mais ça a drôlement fait flipper Prevost et Berger. « Extraordinaire, a dit Prevost, visiblement ému. Un film extraordinaire. » Berger a réfléchi un moment avant d'annoncer : « Cette fille est une nana de première. » « Michael Scott Gehn pense que c'est un chef-d'œuvre », j'ai dit. Ils ont approuvé avec enthousiasme. C'est un de mes trucs : quand vous ne savez pas quoi dire, quand vous avez détesté ou que vous êtes vraiment coincé et qu'aucun propos mesuré ne fera l'affaire, utilisez les louanges de quelqu'un d'autre. Inventez-les au besoin. C'est infaillible, je vous le jure.

Je leur ai demandé de quelle longueur ils souhaitaient le synopsis : une phrase ou une demi-page ? Berger a déclaré qu'il fallait que ça dépasse quarante pages, sans interligne, de façon à ce que les gens n'aient pas envie de le lire. « On a déjà le financement, dit-il, mais on a besoin d'un document. Rendez-le aussi surréel ou bizarre que vous voudrez, ajouta Prevost en me tendant la vidéo-cassette, c'est précisément ce qu'il faut. »

Nous partîmes dans le parking d'Alcazar à la recherche de nos voitures. « Quand rencontre-t-il Lanier ? » demanda Berger. « Demain matin. Elle va l'adorer, Bob, répliqua Prevost. C'est du tout cuit. » Berger fit un geste en direction du ciel. « Généreux Jéhovah, dit-il. Accordez-moi Lanier. »

J'ai observé ces deux types, assez jeunes pour être mes fils, tandis que sous une lune blême ils se glissaient dans leurs étincelantes bagnoles basses de croupe, fantasmant à voix haute, sur un ton belliqueux, à propos de ce film imaginaire, de transactions, de vedettes, et je me suis senti pris d'une immense pitié pour eux. J'ai une théorie sur cette ville : notre problème, c'est que nous sommes à la fois les gens les plus confiants et les moins sûrs d'eux au monde. Pleins d'épate bruyante, nous paraissons déborder d'assurance, mais en réalité ou nous sommes terrifiés, ou nous nous détestons, ou nous prenons des pilules euphorisantes d'un genre ou d'un autre, ou nous voyons des psy, ou nous sommes sous la coupe de fakirs et de chamans, ou nous nous faisons tondre la laine par tout un margouillis d'escrocs et de charlatans. C'est le pacte de Faust – ou devrais-je dire le contrat de Faust – que vous devez conclure afin de vivre et travailler ici : vous obtenez tout, mais vous vous faites royalement baiser en cours de route. C'est le prix que vous payez. C'est dans le contrat.

On indiqua à Aurélien No la table de Lanier Cross dans un recoin obscur au fond du *Hamburger Haven*. Un homme et une femme l'encadraient. Aurélien serra la main fine. Lanier était très belle, mais très petite, une femme-enfant, la musculature d'une gamine de douze ans avec les attributs d'une adulte.

Elle présenta ses compagnons, un jeune homme aimable, souriant, aux épaules larges, et une femme mince aux cheveux en brosse, la quarantaine, avec un visage aux traits accusés et sévères.

– Mon mari, dit-elle. Kit Vermeer. Et voici

Naomi Tashourian. Une scénariste avec qui nous travaillons.

- On adore ce que vous faites, dit Kit.
- Magnifique film, renchérit Lanier.
- Vous l'avez vu? s'enquit Aurélien.
- On l'a vu il y a deux heures, répliqua Lanier.

Aurélien consulta sa montre : Nancy s'était assurée qu'il serait ponctuel – sept heures trente.

- J'ai appelé Berger, je lui ai dit qu'il fallait que je le visionne avant notre rencontre.
- On a tendance à dormir dans la journée, expliqua Kit. Comme des chauves-souris.
- Comme des lémuriens, rectifia Lanier. Je n'aime pas les chauves-souris.
- ... comme des lémuriens.
- C'est un très beau film, reprit Lanier. C'est pourquoi nous voulions vous rencontrer.

Elle tendit la main pour défaire une grosse barrette de plastique sur le sommet de son crâne et libéra une épaisse mèche brune brillante d'un mètre de long. Elle la tira, la resserra, l'entortilla autour de sa main et la remit sur le haut de sa tête avant de la fixer à nouveau avec la barrette. Tout le monde demeura silencieux pendant l'opération.

- C'est pour ça qu'on voulait que vous rencontriez Naomi.
- Il s'agit d'un remake, non? interrogea Naomi.
- Oui. Je crois.
- Excellent, dit Lanier. Je sais que Kit voudrait vous proposer quelque chose. Kit?

39

Kit se pencha par-dessus la table.

– Je veux jouer le garçon de café, annonça-t-il.

Aurélien réfléchit avant de répondre :

– Le garçon de café n'a que deux minutes dans le film, tout à la fin.

– C'est pourquoi on a pensé que vous deviez rencontrer Naomi.

– Voici comment je vois la chose, dit Naomi. Nathalie a eu une liaison avec le garçon de café. C'est pourquoi elle se rend au restaurant. Et on verra alors leur histoire en flash-back, vous comprenez.

– Je crois que ça pourrait être extraordinaire, Aurélien, dit Lanier.

– Et, ajouta Kit, je sais qu'à cause de notre situation, à Lanier et moi, notre situation conjugale, nous apporterions quelque chose d'extraordinaire à leurs rapports. Et de très beau.

Lanier et Kit s'embrassèrent, brièvement mais avec passion, avant de reprendre la discussion en faveur du flash-back. Aurélien commanda un steak-frites tandis qu'ils donnaient corps à la liaison entre Nathalie X et son amant garçon de café.

– Et c'est Naomi qui écrirait ça ? s'enquit Aurélien.

– Oui, dit Lanier. Je ne suis pas prête à travailler avec un autre scénariste pour l'instant.

– Je crois que Bob Berger a un autre scénariste. Matt Friedrich.

– Il a fait quoi ? demanda Kit.

– Il faut laisser tomber Matt, Aurélien, dit Lanier. Vous ne devriez pas boire de la bière si tôt le matin.

– Pourquoi pas?

– Je suis alcoolique, dit Kit. C'est le fil du rasoir, croyez-moi.

– Pourriez-vous me laisser seule avec Aurélien, les enfants, demanda Lanier.

Les autres s'exécutèrent.

Lanier Cross. J'ai une théorie sur cette ville : l'argent n'a pas d'importance. L'ARGENT N'A PAS D'IMPORTANCE. Tout le monde croit que tout tourne autour de l'argent, mais on se trompe. On croit que c'est seulement à cause de l'argent que les gens supportent cette foutue putain de merde qu'on leur colle dessus. Qu'il ne peut y avoir qu'une seule raison pour laquelle les gens sont prêts à être aussi désespérément malheureux : l'argent. Non. Réfléchissez à ça : tous ceux qui comptent dans cette ville ont plus qu'assez d'argent. Ils n'en ont pas besoin de davantage. Et je ne parle pas des patrons de studios, des grands metteurs en scène, des stars, des gens qui gagnent des sommes obscènes. Il y a des milliers de gens dans cette ville, peut-être des dizaines de milliers, qui sont engagés dans des films avec plus d'argent qu'il n'est raisonnablement acceptable. Ce n'est donc pas une question d'argent, non, il s'agit d'autre chose. Il s'agit d'être au centre du monde.

– Elle t'a adoré, dit Kaiser Prevost. Elle s'étalait sur toi comme une urticaire.

– Pas de nouvelles de Delphine?

– Qui? Ah non. Qu'est-ce que tu lui as dit, à Lanier? Bob a appelé, elle tournera pour rien. Enfin, pour la moitié de son cachet habituel. Sensationnelle, l'idée Kit Vermeer. Excellente. Pourquoi n'y ai-je pas pensé? C'est peut-être ce qui l'a emporté.

– Non, c'était son idée à elle. Comment va-t-on finir le film sans Delphine?

– Aurélien, je t'en prie. Oublie Delphine Drelle. Nous avons Lanier Cross. On a viré Friedrich, on a Tashourian qui écrit le flash-back. C'est parti, fiston, c'est dans le sac.

Naomi Tashourian. J'ai une théorie sur cette ville, cet endroit. Il ne faut pas y être une femme.

Aurélien était dans la salle de montage avec Barker Lear, un chef monteur, pour visionner sur le steenbeck ce qui existait de *Seeing through Nathalie*.

Barker, un type costaud, la barbiche rousse hirsute, regarda Delphine s'asseoir à la pizzeria et commander une bière qu'elle but avant d'en commander une autre. Puis la perche du son qui, dans les dernières minutes, n'avait cesser d'osciller n'importe comment à l'intérieur et à l'extérieur du champ, tomba en plein dedans, obstruant l'image.

Barker se tourna vers Aurélien qui, les sourcils froncés, se tapotait les dents du bout d'un crayon.

– Quel film, dit Barker. Qui est cette fille, elle est extraordinaire.

– Delphine Drelle.

– C'est une grande vedette en France ?

– Non.

– Hypnotique, l'effet qu'elle a... (Il haussa les épaules.) Dommage pour la perche.

– Oh, je ne m'en fais pas pour ce genre de choses, dit Aurélien. Ça ajoute à la vraisemblance.

– Je ne vous suis pas.

– On est censé savoir que c'est un film. C'est pour ça que la fin fonctionne si bien.

– Alors qu'est-ce qui se passe à la fin ? Vous ne l'avez pas encore tournée, hein ?

– Non. Je ne sais pas ce qui se passe. Delphine non plus.

– C'est pas vrai !

– Elle se saoule, vous comprenez. On la regarde se saouler. On ne fait pas de plan de coupe. On ne sait pas ce qu'elle va faire. C'est ce qui rend la chose si excitante – c'est *Le Destin de Nathalie X*.

– Je vois... Et alors, ah, qu'est-ce qui se passait à la fin du premier film ?

– Elle va au café, elle boit six ou sept bières à la file et je m'aperçois qu'elle est très ivre. Elle commande un autre verre et quand le garçon le lui apporte, elle le lui jette à la figure.

– Non, pas possible ! Et puis ?

– Ils se battent, Delphine et le garçon de café. Ils se tapent vraiment dessus. C'est fantastique. Delphine, elle a pris des cours d'autodéfense. Elle flanque un coup de genou dans les *couilles* du mec. Paf!

– Fascinant.

– Il tombe à la renverse. Elle s'écroule, en pleurant, se tourne vers moi, m'insulte. Part en courant dans la nuit. Fin. C'est étonnant.

Barker se caressa la barbe, l'air pensif. Il jeta un coup d'œil en coin à Aurélien.

– Vous allez faire la même chose ici?

– Non, non. Il faut que ce soit différent pour les États-Unis, Hollywood. C'est pour ça que je lui ai donné le revolver.

– C'est un vrai revolver?

– Oh oui. Autrement à quoi ça rimerait?

Barker Lear. Je l'ai tenu pour un cinglé total au début, mais après avoir passé un après-midi avec lui, à lui parler, il m'a semblé qu'il savait parfaitement ce qu'il faisait. Un type vraiment cool, Aurélien. Il a sa propre vision, ne se préoccupe pas des autres, de ce que les autres peuvent dire de lui. Pour moi, ça a été le montage le plus facile au monde. De longues, longues prises. Beaucoup de caméra à l'épaule. La promenade comportait quelques contrechamps, quelques plans moyens, des travellings. Le film était plutôt excitant, je dois avouer, et j'étais déçu qu'il n'ait pas encore tourné la fin. Cette fille, Delphine, avec cette incroyable frange blonde sur les yeux, elle avait décidément quelque chose de fou. Je veux dire qui sait, une fois bourrée, ce qu'elle aurait pu faire. Peut-être qu'Aurélien n'était pas dingue mais elle, elle l'était vraiment.

Voyez-vous, j'ai une théorie sur cette ville, cet endroit. Je travaille ici depuis vingt-cinq ans et plus rien ne m'étonne. Dans cette ville, vous avez des gens très très intelligents et des gens très très cinglés, et le problème – et c'est ce qui rend cet endroit différent –, notre problème particulier, c'est que les gens très intelligents sont obligés de travailler avec les gens très cinglés. Ils y sont forcés, ils n'y peuvent rien, c'est la nature du boulot. Ça n'arrive pas ailleurs pour la bonne et unique raison qu'intelligents et cinglés ne se mêlent pas.

Debout au bord de la piscine avec Nancy, Aurélien s'amusait du jeu subtil de la lumière matinale sur l'eau. Aujourd'hui, Nancy avait des cheveux blond platine ; elle portait un tutu par-dessus ses collants et des bottes de cow-boys avec éperons. Elle tendit à Aurélien un jeu de clés de voiture et une enveloppe contenant mille dollars.

– Voici la nouvelle voiture de location. Celica, OK ? Et voilà pour vos menus frais. Et vous dînez chez Lanier Cross à six heures trente.

– Du soir ?

– Ah, oui... Elle peut s'arranger pour six heures si vous préférez. Elle m'a demandé de vous dire que ce serait un repas végétarien.

– Que font tous ces hommes? un genre de manœuvres militaires?

– Ce sont les jardiniers. Vous voulez que je les renvoie?

– Non, ça va.

– Et Tim Pascal a appelé.

– Qui est-ce?

– Un metteur en scène anglais. Il a plusieurs projets en gestation à Alcazar. Il voulait savoir si vous vouliez déjeuner ou prendre un verre ou n'importe quoi.

On sonna à la porte. Aurélien traversa à grands pas les multiples niveaux de son salon blanc et frais pour aller répondre, tandis qu'on sonnait une seconde fois. C'était Delphine.

Kaiser Prevost. J'ai une théorie sur cette ville : elle ne représente pas l'accomplissement du rêve américain, elle représente l'accomplissement d'une réalité américaine. Elle récompense la persistance acharnée, la force brute, le manque de scrupules et la capacité de survivre au ridicule de l'échec. Regardez-moi : je suis petit, soixante kilos, très myope et des qualifications universitaires très moyennes. Mais je suis d'un abord agréable, j'ai une excellente mémoire et de beaux cheveux. Je travaille dur, je prends des décisions difficiles et je me suis fait la plus épaisse des peaux. Moyennant quoi, dans cette ville, rien ne peut m'arrêter. Ni moi ni mes semblables. Nous sommes légions. Nous savons comment on nous appelle, mais on s'en fout. Nous n'avons pas besoin de contacts, d'influence, de talent, ou de chirurgie esthétique. Voilà pourquoi j'adore cet endroit. Il nous permet de prospérer. Voilà pourquoi quand j'ai appris qu'Aurélien n'était pas allé dîner avec Lanier Cross, je ne me suis pas affolé. Les gens comme moi traitent ce genre d'abominables crises sans paniquer.

Aurélien se retourna et embrassa tendrement le sein droit de Delphine qui éteignit sa cigarette et se blottit contre lui.

– Cette maison est incroyable, Aurélien. Je m'y plais bien.

– Où est Holbish?

– Tu as promis de ne plus parler de lui. Je suis désolée, Aurélien. Je ne sais pas ce qui m'a poussée à le faire.

– Non, je suis simplement curieux.

– Il est parti pour Seattle.

– Bon, eh ben on peut se passer de lui. Tu es prête?

– Sûr, c'est bien le moins. Et la pizzeria?

– On m'a donné mille dollars en liquide aujourd'hui. Je savais que ça tombait pile.

Matt Friedrich. Je dois avouer que je comptais sur la réécriture de *Seeing through Nathalie*. Quand Bob Berger m'a viré en m'annonçant que Naomi Tashourian était la nouvelle scénariste, sur le coup ça m'a fait mal. Ça fait toujours mal, aussi à la mode soit-on. Mais, dans mon cas, je méritais un répit. J'ai perdu mes trois derniers arbitrages de la Guilde, et un film avec Lanier Cross, même mal tricoté, même du style art et essai, m'aurait donné un coup de main. Berger a dit qu'on me paierait pour le synopsis que j'ai écrit, mais je pense que le chèque est encore en voie d'acheminement. Néanmoins je ne me plains pas. Comme un grand romancier anglais a dit un jour, je continue le boulot.

J'ai une théorie sur cette ville, ce *Spielraum* où nous vivons et perdons notre temps : un de nos problèmes, peut-être le vrai problème, c'est que, ici, l'ego l'emporte sur la compétence. Toujours. Ça s'applique à tout le monde : scénaristes, metteurs en scène, acteurs, producteurs et régisseurs. C'est notre maladie, notre marque de Caïn. Quand vous avez du succès ici vous pensez que vous pouvez faire n'importe quoi et ça, c'est la grande erreur. Le régime succès est trop riche pour nos systèmes digestifs : il nous empoisonne, il pourrit le cerveau. Il rend aveugle. On perd la connaissance de soi. Mon avis à tous ceux qui réussissent : *prenez le boulot que vous auriez pris si le film avait été un four*. Ne visez pas le gros truc, ne laissez pas votre horizon reculer. Faites le film de pub, le pilote-télé, le documentaire, le rewriting en trois semaines, le rôle de composition ou n'importe quel truc que vous aviez aligné en premier. Faites ce boulot et alors peut-être que vous pourrez atteindre le fruit défendu, mais au moins vous garderez les pieds sur terre.

– Kaiser?
– Bob?
– Il n'est pas chez lui, Kaiser.
– Merde.
– Il faut qu'il lui téléphone. Il faut qu'il s'excuse.
– Non. Il faut qu'il mente.
– Elle a appelé Vincent.
– Putain. La salope.
– Ça montre à quel point elle a envie de le faire. Je crois que c'est bon signe.
– Où est ce salaud d'Africain? Je vais le tuer.
– Nancy dit que la poulette française s'est radinée.
– Oh non. Non, putain non!
– Ça empire, Kaiser. Vincent m'a dit d'appeler Tim Pascal.
– C'est qui celui-là, bon Dieu?
– Un metteur en scène anglais. Lanier veut le rencontrer.
– Qui est son agent?
– Sheldon... Allô? Kaiser?

George Malinverno. J'ai une théorie sur cette ville, cet endroit : tout le monde aime la pizza. Même les Français. On a fini par bien les connaître, je crois. Ils revenaient tous les soirs, les Français. Le grand type noir, le râleur et la blonde. Une fille vraiment jolie. Tous les soirs ils viennent. Tous les soirs ils mangent de la pizza. Tous les soirs elle se biture. Tout le monde aime la pizza. (Rire amer.) Tout le monde. Dommage que je n'y ai pas pensé plus tôt, hein ?

Un soir, ils tournent. Et la fille, elle se fout en pétard. Puis je ne sais plus, quelque chose cloche et on les revoit plus d'un moment. Puis ils reviennent. Juste le type noir, Aurélien, et la fille. Il demande s'ils peuvent filmer, une nuit, mille dollars. Je dis, sûr. Alors il installe le son et il planque la caméra derrière les buissons. Vous comprenez, c'est pas vraiment du dérangement. Je n'ai jamais vu personne tourner comme ça. Mille dollars, c'est très généreux. Alors la fille, elle s'avance, elle prend un siège, elle commande de la bière et continue à boire. Elle est bientôt rétamée. Aurélien est derrière les buissons, il continue à filmer. Un type essaie de la draguer, met ses mains sur la table, se penche, elle prend une pochette d'allumettes, comme celle-ci, et, avec le coin, lui fait quelque chose sur le revers de la main. Je n'ai pas pu voir ce qu'elle a fait mais le type, le souffle coupé par la douleur, recule en tremblant des pieds à la tête.

Puis un groupe arrive, des gens qui ont retenu

pour un dîner d'anniversaire, quatorze personnes. Elle, elle reste assise à boire et à fumer, et Aurélien filme. Puis on apporte le gâteau de la cuisine, toutes bougies allumées. Chaque fois qu'on a un anniversaire, on fait chanter Chico. Chico, le petit serveur, le pot à tabac, il voulait être chanteur d'opéra. Il a une belle voix forte. Il chante *Joyeux Anniversaire* – il a une manière à lui, interminable, élaborée, de le chanter. A tue-tête, *molto vibrato*, vous voyez. Et voilà que la fille se lève avec un putain de revolver à la main, hurlant en français. Personne n'entend vu que Chico chante à s'en péter les couilles. Je me précipite de derrière le bar mais j'arrive trop tard. Pan ! Le premier coup fait sauter le gâteau. Pan ! Le second attrape Chico à la hanche. Une blessure superficielle, Dieu merci. Je flanque la fille par terre. Roberto saute dessus. On lui arrache le revolver. Elle se débat rudement bien pour une si petite chose. Elle m'a aussi esquinté l'épaule, elle l'a tordue, ça ne fonctionne plus comme avant. Aurélien a tourné toute la scène. Il paraît que c'est formidable.

Aurélien était devant la salle de projection d'Alcazar avec Kaiser Prevost et Bob Berger. Berger se coiffait et se recoiffait, il n'arrêtait pas de humer son peigne, de renifler le bout de ses doigts. Il demanda à Prevost de sentir ses cheveux. Prevost annonça qu'ils sentaient le shampooing. Prevost se rendit aux toilettes pour la quatrième fois.

– Détendez-vous, dit Aurélien aux deux autres. Je suis vraiment très content. Je ne pourrais pas l'être davantage.

– Ne dites pas ça, ne dites pas ça, grogna Berger.

– Si ça lui plaît, dit Kaiser, l'affaire est faite. Lanier l'aimera, c'est certain, et Aurélien s'excusera. Pas vrai, Aurélien ? Bien sûr que tu le feras. Pas de problème. Lanier l'a adoré. Lanier t'a adoré, n'est-ce pas, Aurélien ?

– Pourquoi se soucie-t-on de Lanier ? dit Aurélien. Delphine est revenue. Nous avons fini le film.

– Jésus-Christ ! s'exclama Bob Berger.

– Ne t'en fais pas, Bob, dit Kaiser. Tout peut s'arranger.

Vincent Bandine sortit de la salle de projection. Aurélien se leva :

– Qu'en pensez-vous ?

Vincent Bandine. Je crois à la franchise. J'ai une théorie sur cette ville, cet endroit : on ne fait pas assez confiance à la franchise. Je donne à fond dans la franchise. Alors je prends Aurélien à part, gentiment, et je dis : « Aurélien, ou quel que soit votre nom, je pense que votre film est de la crotte de bique. Je pense que c'est un dégoûtant, un assommant tas de fumier de première classe. Je ne donnerai pas une goutte de la sueur de mes couilles pour votre film de merde. » C'est ce que j'ai dit, mot pour mot. Et je dois reconnaître ça au gosse, il est simplement resté là à me regarder

avec une sorte de léger sourire sur les lèvres.
D'habitude, quand je suis aussi franc, ils sont profondément choqués, ou bien ils pleurent ou ils
vomissent. Lui, il me regarde et il dit : « Je ne peux
pas vous en vouloir de réagir ainsi. Vous n'êtes
pas un homme cultivé, alors je ne peux pas vous
reprocher de réagir ainsi. » Et il s'en va. Il s'en va,
d'un pas léger. J'aurais dû lui faire briser ses
putains de jambes. Moi qui possède la plus grande
collection de Vuillard de la côte Ouest d'Amérique.
J'aurais dû lui faire briser ses putains de jambes.
Nous avons dû payer le garçon de café cinquante
tickets pour qu'il ne porte pas plainte, et ne
mêle pas Alcazar à l'affaire. La fille est partie trois
semaines en clinique pour se désintoxiquer...
Aurélien No. Pas un homme cultivé, hein ?

Kit Vermeer. Ah, Lanier l'a très mal pris ? Je ne
le pense pas. Ça ne vous dérange pas ? Merci.
Chauves-souris et lémuriens, mon vieux, ils n'ont
rien vu. Chauves-souris et lémuriens. L'histoire
de ma vie. *Weltanschauung,* c'est ce qui m'attend.
Non, *Weltschmerz.* C'est mon lot. Chauves-souris
et lémuriens. Pourquoi pas chouettes et armadillos.
Non, je ne vous regarde pas, monsieur, et je ne
vous parle pas. Par exemple ! Foutu connard. Un
branleur de baignoire, c'est ce qu'un de mes amis
anglais les appellent. Quel branleur de baignoire.
Chouettes et armadillos.

Matt Friedrich. Aurélien est venu me voir avant son départ, ce qui, j'ai trouvé, était très gentil à lui, surtout pour un metteur en scène, et il m'a raconté ce qui s'était passé. J'ai compati et je lui ai raconté à mon tour d'autres histoires navrantes sur cette ville, cet endroit. Mais il n'avait pas besoin de consolation.

– J'ai pris beaucoup de plaisir à ma visite, m'a-t-il dit. Non, vraiment. Et j'ai fait le film. Une expérience curieuse mais intéressante.

– Ce n'est qu'un sport, je crois me rappeler lui avoir dit. Ce n'est qu'un sport qu'il nous faut pratiquer.

Il a ri. Il a trouvé ça marrant.

GÉNÉRIQUE DE FIN

Bob Berger
travaille chez lui
où il écrit plusieurs scénarios

Delphine Drelle
interprète Suzi de la Tour
dans *Jusqu'à la tombée de la nuit* sur NBC

Kaiser Prevost
travaille pour la banque d'affaires
Harbinger Cohen, à New York

Marius No
est élève de première année à
l'École supérieure d'études cinématographiques

Bertrand Holbish
est le manager de l'orchestre de Seattle
Morbid Anatomy

Naomi Tashourian
a écrit son premier roman :
Crédits sans contrat

Michael Scott Gehn
est critique en chef
et membre du conseil éditorial de *film/e*

Kit Vermeer
est devenu sikh pratiquant et souhaite
être appelé Khalsa Hari Atmar

Lanier Cross
sera en principe la vedette du film de Lucy Wang
Les Fleurs du mal de Charles Baudelaire

George Malinverno
a ouvert une troisième pizzeria à Pacific Palisades

Vincent Bandine
a annoncé le programme de dix-huit films
d'Alcazar Films pour l'année à venir

Barker Lear
vit à San Luis Obispo

Matt Friedrich
s'est suicidé

Nathalie X aux États-Unis
a été nominé pour un Oscar
dans la catégorie « Meilleur Film étranger »

Aurélien No
ne répond pas au téléphone

Continuité souple

Plantée au coin de Westwood et Wilshire, juste à côté de la station Mobilgas, j'attends. Une brise frisquette réussit à souffler de quelque part et je ne m'en plains pas. Neuf heures du matin, et on est parti pour une autre journée très chaude, pas de doute. Pour la troisième ou quatrième fois, j'examine et réinspecte les fondations de béton, note à nouveau que les câbles électriques ont été convenablement posés et que les boulons supplémentaires que j'ai réclamés sont bien là. Où sont-ils? Je consulte ma montre, allume une autre cigarette et commence à vaguement m'inquiéter : me suis-je trompée de jour? Mon accent aurait-il troublé Mr Koenig?... (Il passe sa vie à me demander de me répéter.)

Un rideau aux couleurs vives – bleu et ocre – bouillonne et se gonfle à la fenêtre d'un appartement de l'autre côté de la rue. Et fait travailler un coin oublié de mon cerveau – qui donc avait des rideaux de ce genre, autrefois? Qui portait une jupe semblable, ou peut-être une cravate ? Des coups de klaxon dans Wilshire. Je lève la tête et aperçois Spencer au volant de la grue, coupant lentement deux files de voitures pour venir se garer le long du trottoir.

Il descend de sa cabine et ôte sa casquette. Ses cheveux repoussent et perdent leur coupe en brosse militaire.

– Désolé d'être en retard, Miss Wolf, c'était de la folie au dépôt, vous savez, impossible.

– Pas d'importance, il n'est pas ici de toute façon.

– Ouais. Juste.

Spencer s'approche et s'accroupit à hauteur de la plinthe en béton pour vérifier le branchement des câbles électriques, tâte et secoue les boulons et leurs écrous. Il passe derrière la grue, installe les panneaux « TRAVAUX EN COURS », puis fouille dans ses poches et me tend une feuille de papier pelure froissée.

– Le permis, explique-t-il. On a jusqu'à midi.

– Même un dimanche ?

– Même un dimanche. Même à Los Angeles. Ne vous inquiétez pas, Miss Wolf. On a plein de temps.

Je me tourne, un rien exaspérée.

– A condition qu'il arrive jusqu'ici, dis-je avec une détermination futile, comme si j'avais le pouvoir de menacer.

Le rideau s'envole soudain de la fenêtre, pareil à un drapeau, et attrape le soleil. Et je me souviens :

pareil à la tenture qu'Otti avait faite. Celle que Tobias avait achetée. La tenture d'Otti Berger.

Spencer me demande s'il doit aller téléphoner, mais je lui dis de leur donner une demi-heure de plus. Je me rappelle un autre dimanche matin, ensoleillé comme celui-ci, mais pas aussi chaud, de l'autre côté de la planète, et je me revois remontant la Grillparzerstrasse, prenant le raccourci depuis la gare, ma lourde valise à la main, me demandant avec espoir, maintenant que j'ai réussi à attraper un train plus tôt à Sorau, si Tobias pourra trouver un peu de temps pour me voir seule dans l'après-midi...

Gudrun Velk remontait lentement la Grillparzerstrasse, jouissant du soleil, le corps penché en avant pour contrebalancer le poids de sa valise. Elle portait... (Qu'est-ce que je portais?) Elle portait un pantalon bouffant en coton avec des bandes élastiques aux chevilles, une blouse bleu ciel et la veste en feutre brodée de chevaliers sur leurs fiers destriers que Paul aimait tant. Ses cheveux blonds étaient dénoués et elle n'était pas maquillée; elle pensait à Tobias : se verraient-ils ce soir-là, feraient-ils l'amour. Elle pensait à Utta, serait-elle déjà réveillée. Elle pensait aux deux épais écheveaux de laine bleue encore humides qu'elle avait teints elle-même tard la veille au soir à la fabrique de Sorau et dont elle avait la certitude qu'ils compléteraient à la perfection son tapis et, plus important, d'une manière qui plairait à Paul.

Paul venait souvent à l'atelier de tissage. Petit, la peau olivâtre et de grands yeux sous un haut front, des yeux qui paraissaient pleins de larmes retenues. Il se déplaçait silencieusement d'un métier à l'autre et les liciers se glissaient hors de leur siège pour lui dégager la vue. Elle se rappelait, elle avait commencé son grand tapis au point noué, et il était resté devant pendant quelques minutes, contemplant en silence les premiers cercles et carrés. Elle attendait : parfois il regardait, ne disait rien et passait son chemin. Puis il avait dit : « J'aime les formes mais le jaune ne va pas, il faut plus de citron, surtout à côté de ce ton pêche. » « A mon avis », avait-il ajouté en haussant les épaules. C'est alors qu'elle commença à suivre ses cours sur la théorie de la couleur, défit son ouvrage et recommença. « Je tisse mon tapis sur la base de vos principes chromatiques », lui dit-elle. Ce qui parut lui faire plaisir. Il répondit poliment que dès lors il suivrait ses progrès avec un intérêt particulier. Il n'était pas heureux à l'Institut, elle le savait, l'ambiance avait changé, lui devenait hostile à lui et aux autres peintres. Meyer était contre eux, racontait-on, ils avaient des relents de Weimar, des mauvais jours. Tobias réagissait de même : « Façade-publicité-théâtralité, déclarait-il, on aurait dû laisser tout ça derrière. » Ce que les peintres faisaient était « décoratif », que dire de plus ? Aussi Paul fut-il content de trouver quelqu'un qui réponde à ses théories au lieu de s'en gausser et, en tout cas, l'ambiance des ateliers de tissage était différente, surtout avec toutes ces jeunes femmes. Une plaisanterie courait à l'Institut selon laquelle les femmes le révéraient, l'appelaient « le Seigneur chéri ». Il aimait beaucoup le temps qu'il y passait, lui raconta-t-il plus tard, de tous les ateliers, c'étaient les tisserands qui lui manqueraient le plus, s'il devait partir un jour – toutes ces filles, toutes ces jeunes femmes brillantes.

Spencer s'appuie contre le poteau des câbles électriques. La manche de sa chemise à carreaux se relève, découvrant davantage son bras brûlé. Qui paraît rose, neuf et bizarrement strié de rides fines, comme de l'écorce ou la peau qui se forme sur du lait chaud refroidi. Du pouce et des deux doigts qui lui restent à la main gauche, il tapote l'air d'une chanson sur le poteau passé à la créosote. Je sais que la brûlure s'étend sur toute la longueur du bras et plus, mais c'est la main qui a été prise de plein fouet.

Il se retourne et surprend mon regard.

– Comment va le bras ? dis-je.

– J'ai une autre greffe la semaine prochaine. On y arrive, lentement mais sûrement.

– Et cette chaleur ? Ça n'empire pas les choses ?

– Ça n'aide pas mais... Je préfère être ici qu'à
Okinawa. Fichtre oui.

– Bien entendu, dis-je, bien entendu.

– Ouais.

Il soupire et semble sur le point de poursuivre
– il parle davantage de la guerre, ces temps-ci –
quand son œil accroche quelque chose. Il se redresse.

– Oh-oh, fait-il. On dirait que Mr Koenig est là.

Utta Benrath avait des cheveux orange foncé,
fortement passés au henné, ce qui, avec ses yeux
verts, lui donnait selon Gudrun un air d'ailleurs,
mais un air excitant. Comme si elle était le résultat
d'un métissage impossible – du genre irlando-
malaisien, suédo-péruvien. Elle était petite, ner-
veuse et, quand elle parlait, usait de ses mains avec
éloquence, les poings s'ouvrant lentement comme
une fleur, des gestes tour à tour de boutoir, de
caresse, les doigts toujours en mouvement. Elle
avait une voix grave et un rire de gorge, masculin,
un soupçon vicelard. Gudrun l'avait rencontrée
en répondant à une petite annonce placée sur le
tableau d'affichage de la salle de réunion des étudiants : « Chambre à louer, commodités et frais à
partager ».

Dès le début de sa liaison avec Tobias, Gudrun
se rendit compte qu'il lui fallait déménager du
foyer d'étudiants où elle habitait. La chambre chez

Utta était bon marché et pas simplement parce que le logement était exigu et dépourvu de salle de bain : il était aussi fort malcommode. Utta, finalement, habitait à quarante-cinq bonnes minutes de marche de l'Institut. L'appartement se trouvait au dernier étage d'un immeuble de rapport à Jonitz avec, depuis la cuisine, une vue lointaine sur un épais méandre de la Mulde. Il était propre et simplement meublé. Sur les murs étaient pendus des projets de vitraux aux couleurs vives dessinés par Utta à Weimar. Elle occupait à présent le poste d'assistante dans l'atelier de peintures murales. Elle était plus vieille que Gudrun, trente ans sonnés, estimait celle-ci, mais son apparence inhabituelle rendait la question quasiment caduque : elle ressemblait si peu à quiconque que l'âge paraissait avoir peu ou pas de rapport avec l'impression qu'elle produisait.

L'appartement de Grenzweg comportait deux chambres, une petite cuisine avec un fourneau et une entrée étonnamment généreuse où l'on pouvait prendre ses repas autour d'une table carrée en pin brossé. On se lavait dans la cuisine, debout sur une serviette devant l'évier. On descendait les quatre étages avec son pot de chambre pour aller le vider dans la fosse septique au fond du petit jardin, derrière l'immeuble. Gudrun s'était prise d'une vive affection pour leur quatre-pièces : sa première chambre à elle depuis son départ de chez ses parents, le premier vrai chez-soi de sa vie d'adulte. La plupart du temps, le soir, Utta et elle préparaient leur dîner – des saucisses, neuf fois sur dix, accompagnées de pommes de terre ou de navets – et puis, si elles ne sortaient pas, elles s'installaient sur le lit dans la chambre d'Utta pour écouter de la musique sur le phonographe. Utta lisait ou écrivait – elle prenait des cours d'architecture par correspondance – et elles bavardaient. La concentration d'Utta, remarqua très vite Gudrun, son besoin de diplômes supplémentaires, ses ambitions, étaient motivés par un pessimisme obsessionnel quant à sa position à l'Institut, un sujet sur lequel revenait inévitablement la conversation. Utta était persuadée de la fermeture imminente de l'atelier de peintures murales, ce qui la forcerait à partir. Elle invoquait des signes, des indices, des allusions dont elle était certaine qu'ils prouvaient les intentions des autorités. Regarde, disait-elle à Gudrun, ce qui est arrivé aux vitraux, aux ateliers de sculpture sur bois et sur pierre. Le combat qu'elle avait dû mener pour obtenir son transfert l'avait pratiquement épuisée. C'est pourquoi elle voulait être architecte : ces temps-ci, tout devait être pratique, manufacturé. La Productivité était le nouveau Dieu. Mais les études étaient si longues, et si on fermait l'atelier de peintures murales... Rien de ce qu'avançait Gudrun ne pouvait la rassurer. Elle consacrait toute son énergie à trouver un moyen de rester.

– J'ai entendu dire que Marianne Brandt déteste Meyer, rapporta-t-elle un soir avec une excitation confinant à la jubilation. Non, je veux dire qu'elle le déteste vraiment. Elle le hait. Elle va démissionner, je le sais.

– Peut-être que Meyer partira le premier, suggéra Gudrun. Il est tellement impopulaire. Ça ne peut pas être très agréable pour lui.

Utta éclata de rire. Sans pouvoir s'arrêter.

– Ma douce Gudrun, dit-elle en tendant le bras pour lui tapoter le pied, ne change jamais.

– Mais en quoi ça t'affecte ? demanda Gudrun. Marianne dirige l'atelier du métal.

– Justement, répliqua Utta avec un petit sourire. Tu ne vois pas ? Ça veut dire qu'il va y avoir un poste vacant, non ?

Mr Koenig descend de sa voiture et plisse les yeux sous le soleil. Mrs Koenig attend patiemment qu'il fasse le tour et vienne lui ouvrir la portière. Tout le monde se serre la main.

– Je parie que vous êtes content de ne pas être à Okinawa, hein, Spence ? lance Mr Koenig.

– Une pluie de feu, à ce que j'entends, réplique Spencer avec une certaine émotion (un peu mystérieusement, je trouve).

– Ah, oui ? Enfin, bref.

Mr Koenig se tourne vers moi :

– Où en est-on, Miss Wolf ?

– On a un peu de retard, dis-je. Peut-être pour-riez-vous revenir d'ici une heure ?

Mr Koenig consulte sa montre, puis sa femme du regard.

– Que diriez-vous d'un petit déjeuner, Mrs Koe-nig ?

Tobias aimait être nu. Il aimait se déplacer dans sa maison, faire des choses ordinaires tout nu. Un jour où sa femme était absente, il avait préparé un repas pour Gudrun et lui avait demandé de le partager avec lui, à poil. Ils dégustèrent du jam-bon fumé, elle s'en souvenait, avec une sauce au raifort très relevée, assis à la table de la salle à manger, en bavardant comme si tout était parfai-tement normal. Gudrun comprit que cela excitait sexuellement Tobias, que c'était un prélude à l'acte d'amour, mais elle eut bientôt froid et, avant qu'il serve la salade, elle lui demanda la permis-sion d'aller enfiler son chandail.

Professeur principal dans l'atelier d'architecture, Tobias Henzi était un grand type de forte carrure qui, Gudrun s'en rendait compte, risquait sérieu-sement de virer à l'obésité d'ici quelques années. Il avait le corps couvert d'une fine couche de poils noirs, presque comme un animal. Des poils plus épais sur sa poitrine et son ventre et, curieusement, au bas de son dos, mais tout son corps – ses fesses, ses épaules – était recouvert de ce pelage brillant.

Au début elle avait pensé trouver ça répugnant mais c'était doux, pas raide, et maintenant, quand ils étaient au lit, elle se surprenait souvent à le caresser distraitement comme s'il s'agissait d'un gros chat, d'un ours, ou d'un tapis dont elle aurait pu s'envelopper.

Ils se rencontrèrent à la soirée du réveillon de 1928, dont le thème était « En blanc ». Tobias était venu en gros Pierrot rembourré, grotesque, avec un cône blanc sur la tête, le visage tartiné de blanc. Gudrun s'était déguisée en colon, avec un costume masculin blanc, une chemise et une cravate blanches, et ses cheveux relevés sous un casque blanc. A la fin de la soirée, aux petites heures du 1er janvier, elle était montée aux toilettes du premier étage pour défaire son chignon, avec le vague espoir que dénouer ses cheveux soulagerait son mal de tête.

Ses cheveux étaient plus longs à l'époque, ils lui arrivaient aux épaules, et alors qu'elle redescendait l'escalier menant au grand hall, elle vit, étalé sur un palier, Tobias, gros Pierrot défraîchi, manifestement ivre, et fumant un cigare noir bosselé. Il la regarda descendre, un peu surpris, semblait-il, clignant des paupières comme pour se débarrasser de quelque chose qui lui aurait gêné la vue.

Elle l'enjamba, elle savait qui il était.

– Eh, vous ! cria-t-il derrière elle. J'ignorais que vous étiez une femme.

Il avait un ton vexé, agressif, comme si elle l'avait trompé délibérément. Elle ne se retourna pas.

Le premier jour du nouveau trimestre, il vint à sa recherche dans l'atelier de tissage.

Je prends la dernière cigarette de mon paquet et je l'allume. Je m'assois sur la marche, sous la cabine de Spencer, où on a un peu d'ombre. Je vois Spencer sur le trottoir revenir d'un pas vif du téléphone. Il est trapu, pas petit mais avec la vigoureuse démarche chaloupée d'un type costaud, comme si l'air l'étouffait et qu'il l'écartait en forçant son chemin à travers.

– Ils disent que c'est parti il y a une heure. Il hausse les épaules.

– Il doit y avoir un bouchon quelconque sur l'autoroute.

– Merveilleux !

Je souffle bruyamment ma fumée vers le ciel pour montrer mon exaspération.

– Je peux vous en piquer une ?

Je lui montre le paquet vide.

– Des *Lucky Strike*.

Il hausse de nouveau les épaules.

– Je ne les aime pas, de toute façon.

– Le nom me plaît. C'est pourquoi j'en fume.

Il me regarde :

– Ouais, c'est vrai, d'où sortent-ils ces noms ? Qui les invente ? Je me demande.

– *Camel*...
– Ouais. Pourquoi un chameau ? Est-ce que les chameaux fument ? Pourquoi pas un... un hippopotame ? Je me demande.
Je ris :
– Un paquet d'Hippopotames, s'il vous plaît.
Il sourit et flanque une taloche à l'habitacle du phare. Il émet un genre de sifflement et secoue la tête, incrédule. Il se retourne vers moi :
– Saloperie d'usine. Ça doit être un truc sur l'autoroute.
– Puis-je vous offrir un petit déjeuner, Spencer ?

Paul ne rencontra qu'une fois Tobias en compagnie de Gudrun. C'était un après-midi à quatre heures, au moment de la fermeture des ateliers. Les tisserands travaillaient quatre heures le matin et deux l'après-midi. L'atelier était vide. Le grand tapis, à moitié fait, était accroché sur un chevalet au milieu de la pièce. Debout devant, regardant, réfléchissant, Paul caressait lentement son menton des doigts de sa main droite. De temps à autre, de sa main gauche, il couvrait son œil gauche.
– Ça me plaît, Gudrun, dit-il finalement. J'aime sa chaleur et sa clarté. La pénétration des couleurs, les roses orangés, les citrons... Que va-t-il se passer en bas ?
– Je crois que je vais dégrader en vert et bleu.
– Qu'est-ce que c'est que ce noir ?

71

– Je vais faire quelques rayures, certaines verticales, une horizontale, avec les couleurs froides.

Il approuva d'un signe de tête et recula. Gudrun, qui se trouvait derrière lui, se déplaça de côté pour qu'il ait une vue d'ensemble. En se tournant, elle vit que Tobias était entré dans la pièce et les observait. Il s'approcha d'un pas nonchalant et salua Paul avec froideur et cérémonie.

– Je suis venu admirer le tapis, expliqua Paul. Il est magnifique, non?

– Très décoratif, dit Tobias en y jetant un coup d'œil. Vous devriez dessiner du papier peint, Mlle Velk, pas gaspiller votre temps à ça.

Puis, s'adressant à Paul:

– Vous n'êtes pas d'accord?

– Ah. Les besoins populaires avant les luxes élitistes! répliqua Paul, en agitant brièvement un doigt menaçant en direction de Gudrun.

Venant de lui, le sarcasme avait une très étrange résonance.

– C'est une manière de l'exprimer, dit Tobias. Certes.

Nous sommes installés dans l'encorbellement vitré d'un restoroute de Westwood Village. J'ai commandé un café et une pâtisserie danoise mais Spencer a décidé de prendre quelque chose de plus substantiel: un steak-filet avec un œuf à cheval.

– J'espère que les Koenig ne vont pas revenir tout de suite, dit Spencer. Je n'aurais peut-être pas dû commander le steak.

Je presse ma joue contre le verre chaud de la vitrine. Je peux tout juste apercevoir l'arrière de la grue de Spencer.

– Je les verrai, dis-je. Et je verrai aussi le camion de l'usine. Mangez.

Spencer passe son doigt sur le liseré d'aluminium recourbé qui borde la table.

– Je tiens à ce que vous sachiez, Miss Wolf, combien je vous suis reconnaissant du travail que vous m'avez procuré.

Il me regarde droit dans les yeux.

– Plus que reconnaissant.

– Non, c'est moi qui vous suis reconnaissante.

– Non, non, j'apprécie ce que...

Son steak arrive et met fin à ce qui, j'en suis certaine, aurait été de longues protestations de gratitude réciproque. Il fait trop chaud pour manger de la pâtisserie, j'écarte donc ma brioche danoise et je me demande où je pourrais acheter des cigarettes. Spencer, tenant sa fourchette comme une dague dans sa main gauche blessée, la plante dans le steak pour le maintenir sur son assiette et, avec le couteau dans sa main droite, entreprend de couper la viande en morceaux. Il a des difficultés : son pouce et ses deux doigts ne suffisent pas à garder prise sur le manche de la fourchette et il coupe mal avec son couteau.

– Le sale truc, c'est que je suis gaucher, dit-il sentant que je l'observe.

Il scie un petit coin, le met dans sa bouche et puis se remet à son opération de piquer-trancher. L'assiette valse à travers le dessus de table brillant et entre en collision avec ma tasse de café. Un peu de liquide jaillit.

– Désolé, dit-il.

– Puis-je faire ça pour vous? je demande. Ça vous ennuierait?

Il ne répond rien; je tends le bras pour lui prendre doucement le couteau et la fourchette. Je coupe la viande en cubes et lui rends ses ustensiles.

– Merci, Miss Wolf.

– Appelez-moi Gudrun, je vous en prie.

– Merci, Gudrun.

– Gudrun, Gudrun, par ici!

Utta lui faisait signe sur le seuil de la cuisine. Gudrun fendit non sans mal la foule, profitant d'une ouverture ici, évitant un grand geste là. Utta l'attira dans la cuisine où se trouvait encore une masse de gens, remplit le verre de Gudrun et le sien. Elles trinquèrent.

– A Marianne Brandt, lança Utta avec un énorme sourire.

– Que veux-tu dire?

– Elle a démissionné.

– Comment le sais-tu ? Qui te l'a dit ?

Utta inclina discrètement la tête vers la fenêtre.

– Irène, chuchota-t-elle.

Debout à côté de l'évier, Irène Henzi, l'épouse de Tobias, parlait à trois jeunes hommes. Gudrun ne l'avait pas vue. Elle était arrivée tard à cette soirée, mal à l'aise à l'idée de se trouver chez Tobias en même temps que sa femme et d'autres invités. Tobias lui avait assuré qu'Irène ne savait rien, elle était l'ignorance personnifiée, disait-il, la quintessence de l'ignorance. Utta continua à parler tandis que Gudrun examinait à la dérobée leur hôtesse, tout en entendant d'une oreille une histoire d'amalgamation, de métal, d'ébénisterie et de peinture murale réunis en un nouvel atelier de décoration intérieure. Irène ne ressemblait pas à une ignorante, pensa Gudrun, mais à une femme débordante de savoir. « ... Je t'avais dit que ça allait arriver. Arndt en prendra la direction. Mais Marianne a refusé de continuer... » Gudrun cessa d'écouter. Irène était grande et maigre, elle avait un visage en lame de couteau avec un regard endormi sous des paupières lourdes, et elle portait une robe vague noire de style bizarrement oriental. Aux yeux de Gudrun elle était presque laide et pourtant elle semblait avoir acquis un calme languide, une sérénité tissée d'assurance. Les étudiants éclatèrent de rire à l'un de ses propos et elle les abandonna d'un geste du poignet, ce qui les fit se tordre de nouveau, pour prendre une assiette de canapés et les passer parmi les invités qui bavardaient debout dans la cuisine. Elle se rapprocha ainsi d'Utta et de Gudrun, avec un sourire et un petit mot pour chacun.

– Il faut que je m'en aille, dit Gudrun, joignant le geste à la parole.

Utta la rattrapa dans le hall où elle enfilait son manteau.

– Que se passe-t-il? Où vas-tu?

– A la maison. Je ne me sens pas très bien.

– Mais je veux que tu parles à Tobias, que tu te renseignes. Ils ont besoin d'une nouvelle assistante à présent. Si Tobias pouvait mentionner mon nom à Meyer, juste en passant...

Gudrun fut saisie d'une réelle envie de vomir et, en même temps, inexplicablement et à sa grande fureur, d'un impérieux besoin de pleurer.

Le sourcil froncé, Spencer me regarde d'un air inquiet. Je consulte ma montre, Mr Koenig consulte la sienne aussi et, au même instant, le camion de l'usine d'Oxnard arrive bruyamment dans Wilshire. Des excuses sont présentées, un embouteillage sur l'autoroute blâmé – qui aurait cru qu'il y aurait une telle circulation un dimanche? –, et Spencer manœuvre pour amener la grue en place.

Tobias fit courir ses doigts le long du dos de Gudrun jusqu'à la raie des fesses.

– Si lisse, dit-il avec étonnement.

Il la retourna et s'enfouit le visage dans ses seins, tout en prenant sa main pour l'attirer sur son aine.

– Utta va bientôt rentrer, dit-elle.

Tobias grogna. Il se souleva sur les coudes et la contempla :

– Je ne peux pas supporter ça, se plaignit-il. Il faut que tu te trouves un endroit à toi. Et pas aussi foutrement éloigné.

– Mais oui, bien sûr, répliqua Gudrun. Je prendrai un petit appartement sur la Kavalierstrasse. Si pratique et si raisonnable.

– Tu vas me manquer, dit-il. Que vais-je faire ? Bon Dieu.

Gudrun lui avait parlé du cours de teinture à Sorau. Ils se rencontraient régulièrement désormais, presque une routine, trois ou quatre fois par semaine, l'après-midi, dans l'appartement de Grenzweg. L'atelier de tissage fermait plus tôt que les autres sections de l'Institut et, entre quatre heures et demie et six heures et demie, ils avaient les lieux à eux. Sur le chemin de son retour, Utta s'arrêtait obligeamment pour prendre un café ou faire des courses – traînassant pour l'amour de l'amour, selon ses mots – et, en général, à son arrivée Tobias était déjà parti. Quand ils se croisaient, il semblait indifférent, nullement gêné.

– Voyons, si Utta prenait la tête de l'atelier du métal, dit Gudrun, je suis certaine qu'elle serait bien plus occupée que...

– Ne recommence pas avec ça, coupa Tobias. J'ai parlé à Meyer. Arndt a ses propres candidats. Tu sais qu'elle a une chance. Plus qu'une chance.

Il la prit dans ses bras et la pressa très fort contre lui.

– Gudrun, ma Gudrun, s'exclama-t-il, comme mystifié par l'émotion qu'il éprouvait. Pourquoi est-ce que je te désire tant? Pourquoi?

Ils entendirent le raclement de la clé d'Utta dans la serrure, ses pas tandis qu'elle traversait l'entrée en direction de la cuisine.

Dès le départ de Tobias, Utta se précipita dans la chambre de Gudrun. Celle-ci s'habillait, mais le lit était encore un amas de draps froissés, ce qui, sans grande raison, l'embarrassa. Pour elle, la pièce empestait Tobias. Elle tira la couverture jusqu'à l'oreiller.

– T'a-t-il vue en partant? s'enquit-elle.

– Non, j'étais dans ma chambre. A-t-il dit quelque chose?

– Les phrases habituelles. Non, «plus qu'une chance». Il a dit que Arndt avait ses candidats à lui.

– Bien sûr, mais «plus qu'une chance». C'est quelque chose. Oui...

– Utta, je ne peux rien faire de plus. Je pense que je devrais cesser de demander. Pourquoi ne vois-tu pas Meyer toi-même?

– Non, non. Ce n'est pas ainsi que ça fonctionne ici, tu ne comprends pas. Ça n'a jamais marché comme ça. Il faut se tailler sa propre route. Il ne faut jamais s'arrêter.

Spencer vérifie que les sangles de toile sont bien assurées sous la base, saute du camion et grimpe sur la petite plate-forme de contrôle à côté de la grue.

J'explique à Mr Koenig :

– C'est fabriqué en trois parties. Le tout peut être assemblé étonnamment vite. C'est peint, terminé. Nous branchons le courant et vous y êtes.

Mr Koenig est visiblement ému :

– C'est incroyable, dit-il. Simplement comme ça.

Je me tourne vers Spencer et lève le pouce en manière de signal. Une mince bouffée de fumée bleu-gris et le moteur de la grue s'anime en haletant.

Tobias s'assit sur le bord de son bureau, en balançant une jambe. Il tendit la main pour s'emparer de celle de Gudrun et l'attira tendrement dans le creux de ses cuisses. Il lui embrassa le cou et sentit longuement sa peau, ses cheveux, comme s'il essayait d'aspirer son essence au plus profond de ses poumons.

– Je veux que nous partions en week-end, dit-il. Allons à Berlin.

Elle l'embrassa :

– Je n'ai pas les moyens.

– Je paierai. Je vais inventer quelque chose. Une réunion cruciale.

Elle sentit ses mains sur ses fesses ; ses cuisses enserrèrent doucement les siennes. A travers le mur du bureau, elle entendait des voix mâles venant d'un des salons. Elle s'écarta de lui et s'avança vers la table à dessin angulaire installée devant la fenêtre.

– Un week-end à Berlin... dit-elle. J'aime bien l'idée, il faut que je...

Elle se tourna alors que la porte s'ouvrait et qu'Irène Henzi entrait.

– Tobias, nous sommes en retard ! s'écria Irène en jetant sur Gudrun un coup d'œil accompagné d'un vague sourire.

Tobias resta assis, sa jambe libre se balançant légèrement.

– Tu connais Mlle Velk, n'est-ce pas ?

– Non, je ne crois pas. Comment allez-vous ?

Gudrun réussit à tendre son bras ; elle sentit la pression de doigts secs et froids.

– Enchantée.

– Elle était à notre soirée, dit Tobias. Vous vous êtes sûrement rencontrées.

– Chéri, il y avait une centaine de gens à cette soirée.

– Je ne vous dérangerai pas plus longtemps, dit Gudrun en allant vers la porte. Ravie d'avoir fait votre connaissance.

– Ah, Mlle Velk.

L'appel de Tobias l'arrêta net, elle se retourna avec circonspection et vit Irène penchée sur la table à dessin en train d'examiner un plan.

– N'oubliez pas notre rendez-vous. Quatre heures trente, comme d'habitude.

Il sourit, regarda brièvement par-dessus son épaule pour s'assurer que sa femme ne l'observait pas et lança un baiser à Gudrun.

En bordure d'un bois de bouleaux blancs, derrière l'Institut, se trouvait un petit pré où, l'été, les étudiants allaient prendre des bains de soleil. Et en bordure du pré coulait un ruisseau, sous une abondance de saules et d'aulnes. Mais l'ambiance était constamment troublée – et Gudrun se demandait si c'était la raison de la popularité de l'endroit auprès des étudiants – par le ronflement des moteurs d'avion. Les trimoteurs, lors de leurs vols d'essai au-dessus du Junkers Flugplatz, juste au-delà des pins à l'ouest, venaient virer à basse altitude au-dessus du pré au moment de leurs approches d'atterrissage. L'été, les pilotes faisaient des signes aux étudiants en train de bronzer en dessous.

Encore tremblante, encore brûlante au souvenir de l'audace de Tobias, de son gigantesque calme, Gudrun prit le sentier à travers le bois. Elle fut étonnée de voir Paul arriver du pré, une paire de jumelles à la main. Il l'aperçut et lui fit signe.

– J'aime bien regarder les avions, dit-il. Pendant la guerre, voyez-vous, je travaillais dans un aérodrome, à peindre des camouflages. Merveilleuses machines.

Elle avait un thermos de café avec elle et, spontanément, elle lui offrit de le partager. Elle avait besoin de compagnie, elle le sentait, d'une distraction réconfortante. Ils trouvèrent un endroit au bord du ruisseau et elle versa du café dans la tasse en étain qui servait de bouchon au thermos. Elle avait du pain et deux œufs durs qu'elle mangea pendant que Paul buvait son café. Puis il bourra sa pipe et fuma tandis qu'elle lui parlait du cours de teinture à Sorau. Il lui faudrait un bleu plus intense pour finir son tapis, dit-il, un bleu dur, métallique, et il suggéra qu'elle pourrait concocter la bonne couleur à la teinturerie.

– Avec Tobias, demanda-t-il soudain, à la surprise de Gudrun, quand vous êtes avec Tobias, vous êtes heureuse?

Il écarta d'un geste ses dénégations et ses questions. Tout le monde était au courant, dit-il, une chose pareille ne pouvait pas se passer discrètement dans un endroit tel que l'Institut. Elle n'avait pas à lui répondre si elle ne le souhaitait pas, mais il était curieux.

Oui, répliqua-t-elle, elle était très heureuse avec Tobias. Ils étaient tous les deux heureux. Elle était

amoureuse de lui, déclara-t-elle carrément. Paul
l'écouta. Il lui raconta que Tobias était un personnage puissant dans l'école d'architecture, que tout
le pouvoir de l'Institut émanait de l'atelier d'architecture. Il ne serait pas surpris, dit-il, si un jour
Tobias finissait par diriger l'organisation entière.

Il se leva, tapota sa pipe contre le tronc d'un
saule et ils repartirent tranquillement à travers le
bois de bouleaux.

– Je voulais simplement que vous sachiez ces
choses à propos de Tobias, dit-il.

Il lui sourit.

– C'est un homme curieux.

Ses traits paraissaient comme écrasés par le
poids de son haut front pâle. Il avait des poches
sous les yeux, remarqua-t-elle, il paraissait fatigué.

– Vous ressemblez à un météore, reprit-il. Soudain, vous êtes attirée par la terre et capturée par
son atmosphère. A ce moment-là vous devenez
une étoile filante, incandescente et superbe. Il y
a deux options possibles : demeurer liée à l'atmosphère terrestre et tomber en piqué ou bien y
échapper en retournant dans l'espace...

Elle fut tout d'abord déconcertée, puis elle se
rappela qu'il se citait lui-même, quelque chose
qu'elle avait entendu lors d'un de ses cours.

– ... où vous vous refroidissez peu à peu pour
finalement vous éteindre. La question, c'est que
vous n'avez pas besoin de tomber en piqué, dit-il
lentement. Il existe des lois différentes pour des

atmosphères différentes, des mouvements plus libres, des dynamiques plus libres. Aucune nécessité de rigidité.

– Continuité souple, dit-elle. Je me souviens.

– Précisément, dit-il avec un sourire. Il y a un choix. Continuité rigide ou souple.

Il lui tapota légèrement le bras.

– Voyez-vous, je crois que je pourrais avoir envie d'acheter votre tapis.

Spencer serre le dernier boulon puis traverse la rue pour nous rejoindre sur le trottoir d'en face. Mr Koenig, Mrs Koenig, Spencer et moi. Il est presque midi et le soleil brille de manière pratiquement insupportable. Je chausse mes lunettes de soleil et contemple le minirestoroute Koenig à travers des verres glauques.

Mr Koenig s'éloigne de quelques pas, un doigt sous le nez comme s'il allait éternuer. Il revient vers nous.

– Je l'adore, Miss Wolf, dit-il après s'être excusé du moment d'intimité dont il a eu besoin. Je... simplement... C'est tellement... La manière dont vous avez fait ces choses en saillie. Bon Dieu, ça ressemble même à un sandwich. Si astucieux, si original. La manière dont ça se recourbe, ce style...

– ... Profilé moderne, nous l'appelons.

– Puis-je?

Il pose ses mains sur mes épaules, s'avance en

relevant la tête (je suis un peu plus grande que lui) et il me plante un rapide baiser sur la joue.

– Je n'ai pas l'habitude d'embrasser les architectes...

– Oh, je ne suis pas architecte, dis-je. Je ne suis que styliste. C'était un défi.

Gudrun ne sut jamais vraiment ce qui s'était passé (ceci est ce que je crois, et je suis sûr qu'il en fut ainsi) car les versions changèrent tout le temps au cours des récits, avec mensonges ou demi-mensonges constants. La vérité rendait les deux coupables encore plus coupables et ils pensèrent s'absoudre en plaidant la spontanéité, l'instinct incontrôlable, mais ils n'eurent pas le temps de se consulter et leurs contradictions évoquaient une réalité très différente.

Gudrun ouvrit doucement la porte de l'appartement de Grenzweg. Il devait être un peu moins de huit heures du matin. Elle fit quelques pas et entendit du bruit dans la cuisine. Elle poussa la porte et se trouva en face de Tobias, tout nu, tenant deux tasses de café fumant à la main.

La transformation de son regard d'affreuse incompréhension en affreuse compréhension ne dura pas plus d'une seconde. Il sourit, posa ses tasses, dit : « Gudrun... », et fut interrompu par Utta criant de sa chambre : « Alors, Tobias, ça vient ce café, pour l'amour du ciel ? »

Gudrun (jusqu'à aujourd'hui) ne sait pas pourquoi elle fit ce qu'elle fit. Elle prit une tasse de café et entra dans la chambre d'Utta. Elle voulait qu'Utta constate l'impossibilité d'échapper à sa responsabilité. Utta était assise dans son lit, les oreillers retapés derrière elle, le drap remonté à la taille. Les vêtements de Tobias étaient entassés en désordre sur une chaise en bois. A la vue de Gudrun, elle produisit un son étranglé, du genre haut-le-cœur. Un moment, l'idée de lui jeter le café bouillant à la figure traversa l'esprit de Gudrun, mais déjà elle savait qu'elle-même allait craquer dans quelques secondes, aussi, après être restée plantée là un instant de façon à bien voir, à bien comprendre, elle laissa tomber la tasse par terre et quitta l'appartement.

Deux jours plus tard, Tobias lui demanda de l'épouser. Il expliqua qu'il s'était rendu dans l'appartement le samedi soir (sa femme était absente), pensant qu'elle rentrait de Sorau ce jour-là. Comment avait-il pu penser ça? répliqua-t-elle, ils avaient parlé tant de fois d'un rendez-vous le dimanche. Une fois lancé dans son torrent de protestations, il fit par mégarde référence à un petit mot... «Enfin, qu'aurais-tu pensé? un petit mot de ce genre...» et puis, questionné! «Un petit mot? Qui t'a envoyé un petit mot?...» répondit qu'il confondait... non, il n'y avait pas eu de petit mot, il voulait dire qu'elle aurait dû, elle, lui envoyer un mot de Sorau, ne pas se fier à sa mémoire à lui, comment pouvait-il tout se rappeler pour l'amour de Dieu, nom d'un chien? Utta. Utta lui avait écrit, supposait Gudrun, peut-être en son nom, pour mieux l'attirer : «Tobias chéri, je rentre un jour plus tôt, je t'attends à l'appartement samedi soir. Ta Gudrun...» Ça avait marché sans peine. Utta présente, surprise de le voir. Entrez, asseyez-vous, maintenant que vous êtes là, après tout ce chemin. Quelque chose à boire, du vin, un schnaps peut-être? Et la vanité de Tobias, l'occasion, la faiblesse de Tobias avaient fait le reste. Au fait, Tobias chéri, cette question de la démission de Marianne Brandt...

Mais, dans des moments de lassitude, d'autres possibilités lui venaient en tête. Des tromperies plus anciennes, des histoires et des motivations qu'elle n'aurait jamais pu connaître et refusait de contempler. Sa propre théorie était plus facile à supporter.

Utta lui écrivit : «... aucune idée de la manière dont c'est arrivé... on peut tous être pris de folie... un acte sans signification, un relâchement passager.» Elle fut triste de perdre une amie en Utta, mais pas si triste de refuser la demande en mariage de Tobias.

Je dis au revoir à Spencer assis là-haut dans la cabine de sa grue.

— A demain, Gudrun, dit-il avec un sourire, à ma

vague surprise, jusqu'à ce que je me rappelle lui avoir demandé de m'appeler Gudrun.

Il démarre et je rejoins Mr Koenig.

– J'ai une seule question, dit celui-ci. Croyez-moi bien, ne vous méprenez pas, j'adore le lettrage – « sandwiches, salades, hot dogs » – mais pourquoi pas de majuscules ?

– Ma foi, je réplique sans réfléchir, pourquoi écrire en majuscules alors que nous ne parlons pas en majuscules ?

Mr Koenig fronce les sourcils :

– Comment ?... oui, c'est juste. Je n'y avais jamais pensé... oui.

Mon esprit repart en vadrouille, tandis que Mr Koenig commence à me formuler une proposition. Qui a dit ça à propos de typographie ? Joseph ? Paul ?... Non, Lázló. Lázló dans sa salopette rouge, avec son visage bosselé de boxeur et ses lunettes d'intellectuel. Il est à Chicago, maintenant. On est tous partis, je pense en mon for intérieur, tous éparpillés.

Mr Koenig m'explique qu'il y a quinze mini-restoroutes Koenig dans la région de Los Angeles et qu'il aimerait, qu'il espère, qu'il se demande s'il me serait possible de les redessiner – tous – dans cette sorte de style profilé, profilé moderne.

Tous éparpillés. Plus libres. Mouvements plus libres, dynamique plus libre. Je me souviens et je souris. Je ne m'étais jamais imaginé un avenir dans lequel je dessinerais des débits de hot dogs dans une ville de la côte Ouest américaine. C'est une sorte de continuité, je suppose. Nul besoin de tomber en piqué. Paul, je crois, m'approuverait, moi et ce que j'ai fait, comme une justification de ses principes.

Je m'entends accepter l'offre de Mr Koenig et je lui permets de m'embrasser encore sur la joue – mais mon esprit est de nouveau ailleurs, à un continent et un océan de distance dans un Dessau gris et brumeux. Gudrun Velk monte péniblement la pente légère de la Grillparzerstrasse, sa valise lourde au bout du bras, empruntant le raccourci depuis la gare, en direction du petit appartement sur Grenzweg qu'elle partage avec son amie Utta Benrath, espérant, se demandant, maintenant qu'elle a réussi à prendre très tôt un train à Sorau, si Tobias aura le temps de la voir seule cet après-midi.

Hôtel des voyageurs

« Hôtel de la Louisiane. Moi je suis pour la bonne conversation, les soirées pluvieuses, l'intimité, le vin rouge en carafe, la lecture, une solitude relative, l'adoration de la rue... lèche-vitrines, flânerie, tournée des cafés... Je suis pour la nature compliquée de l'Europe, les discrets et multiples replis du Vieux Monde, le passé, le Nord, l'univers des idées. Je suis pour l'Hôtel de la Louisiane. »

Cyril Connolly, *Journal*, 1928-1937

Lundi, 26 juillet 1928

Paris. Train-bateau de Londres étrangement calme, j'avais un compartiment pour moi seul. Léger crachin à la gare du Nord. Après le petit déjeuner, j'ai passé deux heures à essayer d'appeler Louise à Londres. J'y suis finalement parvenu et une voix d'homme a répondu, très abrupte : « Qui est à l'appareil ? » « Dites à Louise que c'est Logan Mountstewart », ai-je répliqué, avec une égale brusquerie. Silence prolongé. Puis l'homme a annoncé que Louise était dans le Hampshire. Je lui ai répété que Louise n'était jamais dans le Hampshire durant la semaine. Finalement j'ai compris que c'était Robbie. Il a refusé de l'admettre et je l'ai traité de tous les noms d'oiseaux de mon vocabulaire avant de raccrocher.

Soirée amère et solitaire, j'ai trop bu. Errance prolongée dans le Marais. L'idée de Louise avec

Robbie me donne envie de vomir. Robbie, *faux bonhomme** et merde fasciste.

Mardi

Encore la pluie. J'ai télégraphié à Douglas et Sylvia à Bayonne pour leur dire que je venais en voiture. Puis j'ai loué la plus grosse automobile que j'ai pu trouver à Paris, une immense chose américaine baptisée Packard, un monstre de véhicule, avec d'énormes phares bulbeux. J'ai pris la route après déjeuner en plein orage, décidé à conduire toute la nuit. Le Sud, le Sud, enfin. C'est là que je retrouverai la paix. Intense dégoût à l'idée de ma vie anglaise. Comme je déteste Londres et tous mes amis. Excepté Sholto, peut-être. Et Hermione. Et Sophie.

Mercredi

Traversé la Loire et tout a changé. Ciels bleus, un soleil de silex qui martèle sans pitié. *Beau ciel, vrai ciel, regarde-moi qui change**. J'ai descendu toutes les vitres de la Packard et j'ai continué ma route dans une forte et chaude brise.

Déjeuner à Angoulême. Jambon et moselle. J'ai soudain eu très envie d'apporter en cadeau à Douglas et Sylvia un monbazillac doux. Ai continué sur

Libourne puis longé le fleuve jusqu'à Sainte-Foy. J'ai quitté la grand-route, en essayant de me rappeler le petit château que nous avions déjà visité en 1926, à côté d'un endroit du nom de Pomport. J'ai dû rater un panneau indicateur car je me suis retrouvé dans un coin de campagne que je n'ai pas reconnu : une vallée étroite frangée de bois sombres. Des champs de blés blonds peignés par le vent oscillaient en silence de part et d'autre de la route non goudronnée. Et c'est alors que le moteur de la Packard s'est mis à cliqueter.

Je me suis arrêté et j'ai soulevé le capot. Une odeur chaude, grasse, une bouffée de quelque chose. Fumée ? Vapeur ? Je suis resté planté là, dans la chaleur ardente et croissante de l'après-midi, à me demander quoi faire.

Un vieux chnoque de paysan dans une charrette a compris ma requête d'un « garage » et m'a montré un sentier poussiéreux. Voilà un village, a-t-il dit, Saint-Barthélemy.

Saint-Barthélemy : une rue de vieilles maisons aux volets clos, des murs tavelés couleur de miel. Une église pourvue d'un clocher neuf hideux, hors de proportion. J'ai trouvé le garage près du pont qui enjambe la rivière paresseuse dont un méandre cerne le village. Le garagiste, un jeune homme sympathique aux lunettes bordées d'écaille, a contemplé la Packard avec un étonnement non dissimulé et a déclaré qu'il lui faudrait commander à Bergerac la pièce nécessaire. Combien de temps cela prendrait-il? demandai-je. Il haussa les épaules. Un jour, deux jours, qui sait? Et d'ailleurs, ajouta-t-il, désignant une limousine étincelante montée sur blocs, il devait d'abord terminer la voiture de monsieur le comte. Il y avait un hôtel où je pourrais descendre, à l'autre bout du village. L'Hôtel des Voyageurs.

Jeudi

Dîner à l'hôtel hier soir. Du poulet rôti filandreux et un vin rouge râpeux. J'étais seul dans la salle à manger, servi par un type antique et catarrheux, quand l'autre pensionnaire est arrivé. Une femme. Grande et mince, ses cheveux châtain foncé coupés court à la mode. Elle portait une robe en crêpe de Chine bleu cobalt, courte, la jupe froncée aux hanches. Elle m'a à peine regardé et a traité le vieux serveur avec rudesse. Elle était française, ou alors complètement bilingue, et tout en elle sentait la richesse et le prestige. De prime abord, son visage ne semblait pas joli, un rien dur, avec un nez un peu busqué, mais tandis que je l'examinais en douce à travers la salle à manger, étudiant ses traits pendant qu'elle chipotait sa nourriture, les plats et les angles de son visage, le léger renflement de la lèvre supérieure, l'arc parfaitement épilé de ses sourcils ont commencé à se charger d'une fascinante beauté. Elle a commandé un café, a fumé une cigarette, sans jamais jeter un œil dans ma direction. J'allais l'inviter à venir prendre un digestif quand elle s'est levée et a quitté la pièce. En passant devant ma table, elle m'a regardé pour la première fois, carrément, avec une curiosité banale et franche.

Bien dormi. Pour la première fois depuis mon départ de Londres, je n'ai pas rêvé à Louise.

Vendredi

Rencontré la femme dans le petit jardin de l'hôtel. J'étais assis à une table en fer sous un marronnier, occupé à tartiner un croissant avec de la confiture de figues, quand je l'ai entendue appeler :
– Thierry ?
Je me suis retourné et son visage a changé. Elle s'est excusée de m'avoir dérangé ; elle a expliqué qu'elle m'avait pris pour quelqu'un d'autre, la veste en lin que je portais lui avait fait penser que j'étais son mari. Il en avait une tout à fait semblable, et la même couleur de cheveux aussi. Je me suis présenté. Elle a dit qu'elle était la comtesse de Benoît-Voulon.
– Votre mari est ici ? me suis-je enquis.
Elle était grande, ses yeux se trouvaient presque au niveau des miens. Je n'ai pas pu m'empêcher

de remarquer que son chemisier de soie taupe lui collait aux seins. Elle avait des yeux d'un marron très clair; et qui semblaient me contempler avec une curiosité inhabituelle.

Elle m'a raconté que son mari rendait visite à sa mère. L'arc d'un sourcil s'est soulevé.

– La vieille dame et moi... – une pause diplomatique – nous ne prenons guère de plaisir en compagnie l'une de l'autre, alors... alors je préfère attendre à l'hôtel. D'ailleurs, notre voiture est en réparation.

– La mienne aussi, ai-je répliqué avec un rire idiot que j'ai aussitôt regretté. Quelle coïncidence.

– Oui, dit-elle, l'air pensif, en fronçant les sourcils. (Ce même regard curieux de nouveau.) Oui, n'est-ce pas?

Pour occuper ma journée, je suis allé à pied jusqu'au village voisin appelé Argenson, où j'ai déjeuné d'un steak coriace arrosé de vin rouge en carafe d'un piquant délicieux. Sur le chemin du retour, j'ai été pris à bord d'un camion surchargé de bûches de pin résineuses. Mon nez n'a cessé d'être chatouillé par l'odeur tout au long du trajet vers Saint-Barthélemy.

L'hôtel était silencieux, l'entrée déserte. Ma clé ne se trouvait pas sur son crochet derrière le comptoir et j'en ai conclu que la femme de chambre faisait encore le ménage chez moi. Là-haut, ma porte était légèrement entrouverte, la pièce plongée dans l'obscurité, les volets fermés contre le soleil. Je me suis avancé. La comtesse de Benoît-Voulon était en train de prendre un livre dans ma valise ouverte.

– Monsieur Mountstewart, a-t-elle dit, son visage débarrassé en un instant de toute trace de culpabilité ou de surprise, je suis si contente que vous ayez décidé de rentrer tôt.

Vendredi

Je dois être sûr de bien raconter ceci. M'assurer que je n'oublie rien.

Nous avons fait l'amour dans la fraîche obscurité de ma chambre. Avec un étrange calme confiant, comme si cela avait été préfiguré d'une certaine façon dans la manière sans hâte, tolérante, dont nos corps bougeaient pour s'accommoder l'un l'autre. Et après, nous avons bavardé comme de vieux amis. Elle s'appelait, m'a-t-elle dit, Gisèle. Ils se rendaient à Hyères, ils y possédaient une maison. Ils passaient toujours le mois d'août à Hyères, elle et son mari.

Puis elle s'est tournée vers moi :

– Logan?... Nous sommes-nous déjà rencontrés?

J'ai ri :

– Je m'en serais souvenu, je pense.

– Peut-être connaissez-vous Thierry? Peut-être vous ai-je vu avec Thierry?

– Certainement pas.

Elle a pris mon visage entre ses mains et m'a regardé avec violence :

– Ce n'est pas lui qui vous envoie, non ? Si oui, vous devez me le dire sur-le-champ.

Puis elle a ri à son tour devant mon air ahuri, et mes protestations étonnées.

– N'y pensez plus, a-t-elle dit, je crois toujours qu'il me tend des pièges. Il est ainsi, Thierry, avec ses jeux.

J'ai dormi cet après-midi et, à mon réveil, elle était partie. En bas, le vieux serveur n'avait mis qu'une seule table pour le dîner. J'ai demandé où était la dame et il m'a répondu qu'elle avait réglé sa note et quitté l'hôtel.

Au garage, la limousine avait disparu. Le jeune garagiste brandit fièrement la pièce détachée requise pour ma Packard en déclarant que celle-ci serait prête demain. Je montrai les blocs vides où s'était trouvée la voiture du comte.

– Est-il venu la prendre ?

– Il y a deux heures.

– Avec sa femme ?

– Qui ?

– Y avait-il une femme avec lui, une dame ?

– Oh, oui.

Le garagiste me sourit et m'offrit une de ses cigarettes jaunes que j'acceptai.

– Chaque année, il passe deux jours avec sa mère,

en route pour le Sud. Chaque année, il en a une différente.

– Une différente épouse ?

Il me fixa d'un air entendu. Il tira une longue bouffée sur sa cigarette, le regard lointain et nostalgique.

– Elles viennent de Paris, ces filles. Étonnantes.

Il secoua la tête, en un geste d'admiration frustrée. Une fois par an, dit-il, Saint-Barthélemy avait la visite d'une de ces femmes étourdissantes, d'une de ces radieuses créatures. Elles descendaient à l'Hôtel des Voyageurs... Un jour, un jour il irait à Paris les voir lui-même.

Samedi

Au Café riche et des sports à Bergerac, je termine mon article sur Sainte-Beuve. Je verse un cognac dans mon café et je rédige un télégramme pour Douglas annulant ma visite. *Ô qu'ils sont pittoresques les trains manqués !** Ce ne sera pas mon destin. Je déplie ma carte routière et je trace un itinéraire pour Hyères.

Jamais vu le Brésil

Par un matin de mai des plus ensoleillés, le sénateur Dom Liceu Maximiliano Lobo donna, sans qu'il en fût besoin, un coup de peigne à sa barbichette soignée et ordonna à son chauffeur de s'arrêter sur le bas-côté de la route. Lors de matinées de ce genre, il aimait faire à pied les derniers cinq cents mètres jusqu'au bureau qu'il conservait, par sentimentalité et à cause des brises marines, dans la *cidade alta* de Salvador. Il avançait d'un pas nonchalant sur les trottoirs, débattant agréablement en son for intérieur pour savoir s'il s'attarderait un moment avec un café et un journal sur la terrasse de l'hôtel, ou bien ferait halte dans le petit appartement qu'il louait pour Olimpia à un prix très raisonnable, dans un vieil immeuble colonial sur une place voisine de la cathédrale. Elle ne l'attendrait pas et ce pourrait être une expérience amusante, voire sensuelle, que de folâtrer durant une petite heure si tôt dans la journée avant l'appel du devoir. Comme le soleil brillait, en ce beau matin, se dit le sénateur Dom Liceu Maximiliano Lobo en prenant la direction de la cathédrale, ses talons résonnant sur les pavés, et avec quelle générosité il ravivait la couleur des géraniums ! La vie était vraiment belle.

C'était le nom, le problème, il le voyait bien. Le problème gisait là, sans conteste. Parce que... parce que si vous n'étiez pas content de votre nom, il s'en rendait compte, alors un certain stress, pas énorme mais continu, pesait sur votre psyché, la perception de votre moi intime. C'était comme être condamné à porter en permanence des chaussures trop petites : on pouvait continuer à marcher mais on souffrait toujours d'une certaine étroitesse, d'un ou deux cors aux pieds, d'un manque de naturel dans la démarche.

Wesley Brillant. Wesley. Brillant.

L'ennui avec son nom, c'est qu'il n'était pas vraiment suffisamment idiot – il ne s'appelait pas Wesley Dumollard ou Wesley Duconnaud ; en fait, c'était presque un nom bien. S'il s'était appelé Wesley Tranchant, disons, ou Wesley Beauregard, il ne se serait pas plaint.

– Wesley ?

Janice lui passa le bordereau. Il pressa l'interrupteur sur le micro.

– Quarante-sept ? Quarante-sept ?

Silence. Seul le cliquètement mortel et permanent de l'éther.

Quarante-sept, répondit Quarante-sept.

Colis, Quarante-sept. A collecter à Track-Track. Pour livraison à Putney, selon instructions. Compte?

Wesley soupira :

Oui, Quarante-sept. Nous ne prenons pas de liquide.

Ces nouveaux chauffeurs. Seigneur Dieu.

- Ah, ouais, Roger, Rog.

Il pouvait toujours changer son nom, supposait-il. Roger, peut-être. Roger Brillant. Wesley Roger... non. Mais cette option existait : choisir un nouveau blaze, une nouvelle anse. Pourtant il se posait la question là aussi : difficile de se débarrasser d'un vieux nom, à son sens. C'était après tout la manière dont vous pensiez à vous, votre étiquette sur le pigeonnier. Et, jeune, on ne trouvait jamais son nom bizarre, c'était une insatisfaction qui venait avec l'âge, le sentiment qu'on n'aimait pas du tout être une personne du genre « Wesley Brillant ». Dans son cas, ça avait commencé au collège, cette gêne, cet inconfort. Il s'interrogeait sur ces types, ces acteurs et musiciens de rock qui se baptisaient Tsar ou Zane Zorro ou D. J. Sofaman... Il était sûr qu'à leurs propres yeux et dans l'intimité ils demeuraient Norman Dégueulis ou Wilbur Labranlette.

– Wesley?

Janice lui tendit le téléphone.

– C'est ta Pauline. Elle veut te dire un mot.

Le colonel Liceu « o Falcao » ouvrit les yeux et découvrit que le soleil s'était levé vert et vif à travers la masse feuillue à l'extérieur de sa chambre. Il remua, s'étira, et sa hanche caressa le flanc tiède de Nilda. Il s'extirpa du lit et demeura debout, nu dans la pénombre glauque. Il dégagea ses couilles en sueur, tirant délicatement sur son scrotum. Il se frotta le visage et la poitrine, prit une inspiration, sortit sans bruit sur le balcon et sentit l'air frais matinal sur son corps dévêtu. Il resta planté là, les planches de bois rugueuses sous ses pieds nus, et se pencha sur la balustrade pour regarder le terrain de manœuvres que son bataillon avait mis quinze jours à tailler dans la forêt vierge. Rien de tel qu'un nouveau terrain de manœuvres, songea le colonel Liceu Lobo avec un petit sourire de satisfaction, pour indiquer que vous n'aviez pas l'intention de quitter les lieux.

Il vit le sergent Elias Galvao émerger des latrines et traverser paisiblement la place en direction du mess du bataillon, tout en rajustant sa ceinture. Un type bien, ce Galvao, un professionnel, et debout de si bonne heure.

– Salut, sergent, cria le colonel Liceu Lobo de son balcon.

Le sergent Elias Galvao se mit illico au garde-à-vous et opéra un demi-tour pour faire face à son colonel à poil, et le saluer.

– Repos, ordonna le colonel Liceu Lobo.

Pas un tressaillement sur le visage impassible. Excellent. Les galons de lieutenant du sergent Galvao ne sauraient être loin.

– Liceu?

La voix rauque endormie de Nilda s'éleva de la chambre.

– Où es-tu?

Le colonel sentit sa virilité s'animer, comme d'elle-même. Oui, se dit-il, on pouvait trouver certaines compensations dans un commandement provincial.

S'efforçant de ne pas inhaler, Wesley, en compagnie de son associé Gerald Brockway, copropriétaire de BB Radio Cars, fendit la touffeur humide du toril afin de gagner la sortie. Trois chauffeurs attendaient là une course et, bien entendu, ils parlaient voitures.

– Comment est la Carlton, tonton? s'enquit Gerald.

– MAGIQUE.

– Épatante.

– Bravo.

Dehors, Wesley ouvrit la portière côté passager de sa Rover.

– T'es content d'elle? s'enquit Gerald. Je croyais que tu voulais une Scorpion.

– Ça va, répliqua Wesley.

– Noël a tiré cinq mille dollars de sa Granada.

– Vraiment?

– Elles gardent leur valeur, ces vieilles caisses. Étonnant. Des années plus tard. C'est drôlement nul ce qu'on leur a fait, ce remodelage jusqu'à plus soif.

Wesley ne sut quoi répondre. Il eut l'impression qu'une sonnerie aiguë avait commencé à résonner dans ses oreilles. Un bourdonnement. Il passait sa vie à redouter le bourdonnement d'oreilles.

– C'est changer pour le plaisir de changer, ajouta Gerald lentement, l'air triste, en secouant la tête.

Wesley mit le moteur en marche et démarra.

– Tiens, prends la Saab.

– Pardon?

– Ils ont été obligés de ressortir la 900. On peut pas passer à la trappe une 900.

– Si on parlait d'autre chose, Ger?

Gerald le regarda :

– Tu vas bien?

– Bien sûr. C'est juste que... tu comprends.

– Pas de problème, fiston. Où va-t-on bouffer?

– Tout le monde a entendu parler de la samba et de la bossa nova, certes, dit Wesley. Mais ceci est un autre type de musique appelé *chorinho* – peu de gens la connaissent. J'adore. J'en mets tout le temps. Je peux te prêter des compacts.

– J'aimerais lui donner une chance, Wes. Mais quelque chose en moi me dit vire ce salaud. Pourquoi devrait-on, pourquoi devrait-on l'aider, Wes? Pourquoi? Énorme erreur. «Toute bonne action est toujours punie», voilà ma philosophie à moi. Y a-t-il un moyen de baisser ça? Qu'est-ce que c'est, nom de Dieu?

– Du *chorinho*.

– On peut pas carotter nos gros clients. Deux heures d'attente? Enfin, pour qui nous prend-il? des gros banquiers?

– Ça signifie «petit pleur».

– Qu'est-ce que c'est que ce truc, Wesley? T'as pas de la musique anglaise?

Wesley regarda Gerald réduire son œuf mayonnaise en une pulpe crémeuse, puis arroser la mixture de minces filets d'huile d'olive et de vinaigre avant de la remuer et enfin de la saupoudrer abondamment de poivre et de sel.

– C'est dégoûtant, dit Wesley. Comment veux-tu que je mange ça?

Il pointa son couteau sur son steak.

– Je n'ai pas touché à un steak depuis deux ans. Tu verrais si tu avais mes problèmes de dents, Wesley. Tu devrais te sentir désolé pour moi, mon pote.

– Je le suis mais je le serais encore plus si tu avais été voir un dentiste. On *peut* t'arranger ça, tu sais. Tu n'as pas besoin de souffrir. Un homme de ton âge, bon Dieu!

– Les dentistes et moi, Wesley, ça fait deux. A dire vrai, c'est très goûteux.

Il avala un peu de sa pâtée. Wesley chercha du regard une serveuse et avisa Elizabetta, la grassouillette. Elle s'approcha, l'air radieux.

– Une pinte de bière blonde, s'il vous plaît. Ger?

– Un grand gin tonic.

Wesley baissa la voix.

– Est-ce que, heu, Margarita est là aujourd'hui? s'enquit-il auprès d'Elizabetta.

– Cet après-midi, elle venir.

Il tourna un peu les épaules. Gerald n'écoutait pas.

– Dites-lui que je lui téléphonerai. Dites lui que Wesley l'appellera. Wesley.

– Wesley. OK.

Gerald écrasa sa tourte aux pommes avec le dos de sa cuillère.

– Chouette troquet, cet endroit, Wes. Ça vaut le détour. Qu'est-ce que c'est, italien?

– Dans le genre. Un peu tout.

– « Cuisine internationale », quoi.

Wesley parcourut du regard le Caravelle. Il n'y avait aucun thème nautique visible dans son décor pragmatique, à moins de prendre en compte le seul paysage marin parmi les cinq reproductions ornant le mur. Gerald et lui étaient attablés dans une rangée de stalles rappelant plus – quel était le mot? –

les sièges dans les recoins des bibliothèques... – des alcôves, oui. Peut-être que le nom était une incongruité. Un cheveu sur la soupe. Quelqu'un avait commis une bévue : ça aurait dû s'appeler le Café-restaurant des Alcôves. Les noms, encore... Il cessa d'y penser et songea plutôt à Margarita.

Mar-gar-it-a. Pas Margaret.

Il roula les « r ». Marrrgarrita.

Elle était brune, bien entendu, très latine, avec un mince visage sévère qui possédait ce qu'on aurait pu qualifier d'énergique beauté. Pas jolie, exactement, mais elle avait quelque chose qui l'attirait, encore que, il le voyait, elle fût une de ces Européennes du Sud qui vieillissent mal. Mais pour l'instant elle était jeune et mince, avec des cheveux longs et, plus important que tout, elle était portugaise. *Uma moca bonita.*

Gerald lui offrit un de ses petits cigares.

Le Dr Liceu Lobo posa sa tasse de café et ralluma son *real excelente*. Du bout nettement coupé et déjà agréablement humide, il tira, avec un soin académique nourri par l'expérience, un mince filet régulier de fumée qu'il retint dans sa bouche, savourant le goût fort du tabac avant d'expédier le panache de fumée sur le petit oiseau en train de picorer les miettes de son gâteau sur la table du patio. L'oiseau s'envola avec un *pioupioupiou* aigu et le Dr Liceu Lobo gloussa. Il était temps de retourner à la clinique, pour les piqûres de vitamine D de la senhora Fontenova.

Il sentit la main d'Adagilsa sur son épaule et il renversa sa tête contre le ventre ferme : un doigt cascada le long de sa clavicule et tortilla les poils gris épais de sa poitrine.

– Ta mère veut te voir.

Wesley ouvrit le portail de son petit jardin mal tenu et se promit une fois de plus de faire quelque chose pour la clématite qui surchargeait le treillage de chaque côté de sa porte d'entrée. Nom de Dieu, Pauline était censée s'occuper du jardin, se dit-il, irrité, mais il se rappela aussi s'être débrouillé depuis un mois pour garder ladite Pauline à l'écart de la maison, prêt à passer les week-ends et à l'occasion une nuit dans son petit appartement à elle plutôt que de l'avoir chez lui. Tout en sortant ses clés de sa poche étroite d'une main, il tira de l'autre sur une branche agaçante de clématite qui frôlait de trop près son visage, et un léger confetti de poussière et de feuilles mortes se déversa à toute allure sur sa tête et ses épaules.

Après sa douche, il s'étendit nu sur le lit, sa main sur sa queue, et songea à se masturber mais se ravisa. Il se sentait propre et, pour la première fois ce jour-là, presque détendu. Il pensa à Margarita et se demanda à quoi elle ressemblait, déshabillée. Elle était mince, peut-être, à être franc, un peu

114

maigrichonne à son goût, mais elle avait un buste bien formé et ses longs cheveux raides étaient toujours propres, même s'il regrettait qu'elle les tirât autant derrière les oreilles en une queue de cheval raide et bruissante. Règlement du restaurant, sans doute. Il se rendit compte alors qu'il ne l'avait jamais vue avec ses cheveux en liberté et éprouva, un instant, un chagrin d'une intensité aiguë pour lui-même et son sort dans la vie. Il se redressa et posa ses jambes par terre, étonné de sentir des larmes lui voiler les yeux.

« Bon Dieu. Seigneur Jésus, se moqua-t-il tout haut. Pauvre petit gars ! »

Il s'habilla avec brusquerie.

En bas, il se versa un grand rhum-coca, mit un disque de Nascimento dans le lecteur de compacts et fredonna sur la voix de fausset éthérée du grand homme. Ça ne manquait jamais de lui remonter le moral. Jamais. Il avala une grande gorgée de sa boisson glacée et sentit l'effet de l'alcool. Il tangua jusqu'au placard de spiritueux et s'offrit une autre rasade. Il n'était que quatre heures et demie de l'après-midi. Et merde, pensa-t-il. Merde !

Il aurait dû se garer ailleurs, se dit-il furieux, un soleil imprévu réchauffant la Rover alors qu'il attendait devant la banque de Pauline. Il n'avait pas mal au crâne mais il avait le palais desséché, tendu, et ses sinus réagissaient mal au rhum. Il gonfla les narines et souffla dans le creux de sa main. Son haleine lui parut inhabituellement chaude sur sa paume. Il éternua trois fois, violemment. Allez, ramène-toi, Pauline. Seigneur Jésus!

Elle émergea des portes massives en teck de la banque, lui fit un signe de la main et s'élança en direction de la voiture. Des talons hauts. Elle avait de jolies jambes. Sans conteste. Des chevilles minces. Des talons d'au moins dix centimètres, à mon sens, elle va me dépasser. Était-ce son imagination ou bien le soleil faisait-il briller la petite monture en diamants de sa bague de fiançailles?

Il se pencha au travers du siège et lui ouvrit la porte.

– Wesley! Tu vas à un enterrement ou quoi? Mince!

– Ce n'est qu'un costume. Merde.

– C'est un costume noir. Noir. Franchement!

– Gris foncé.

– Où est ton prince-de-galles? Je l'adore.

– Au pressing.

– On ne porte pas un costume noir à un baptême, Wesley. Franchement.

Le professeur Liceu Lobo embrassa le sommet du crâne de sa mère et s'assit à ses pieds.

– Hé, petite Mama, comment vas-tu aujourd'hui?

– Oh, je vais bien. Un peu plus proche du bon Dieu.

– Non, petite Mama. Il a besoin de toi ici pour prendre soin de moi.

Elle rit doucement et lui lissa les cheveux, dégageant son front, avec de tendres mouvements de coiffage.

– Tu vas à l'université aujourd'hui ?

– Demain. Aujourd'hui est pour toi, petite Mama.

Il sentit ses petites mains rugueuses sur sa peau le long de la racine des cheveux et ferma les yeux. Du plus loin de sa mémoire, il se rappelait ce geste de sa mère. Apaisant, comme des vagues sur le rivage. « Comme des vagues sur le rivage tes mains dans mes cheveux... » Le vers surgit dans sa mémoire et avec lui, fugitif, le soupçon de quelque chose de plus. Ne force pas, se dit-il, ça te reviendra. Le rythme était déjà fixé. Comme les vagues sur le rivage. Le personnage de la mère, la terre-mère... Peut-être était-ce une idée à creuser. Il y travaillerait dans le bureau, après dîner. Peut-être un poème ? Ou le titre d'un roman ? *As ondas em la praia.* Il s'en dégageait un ton serein et pourtant épique.

Il entendit un bruit et leva la tête, ouvrant les yeux pour voir Marialva portant un plateau. Le tintement étouffé de la glace dans un pichet rempli d'un punch translucide aux fruits. Sept verres. Les enfants devaient être rentrés de l'école.

Wesley observait Pauline de l'autre côté de la pièce qui essayait en vain de calmer le bébé violet de hurlements, Daniel-Ian Young, son neveu. C'était un meilleur nom – tout juste – que Wesley Brillant, se dit-il, même s'il n'avait jamais encore rencontré ces deux prénoms combinés. On en avait plein la bouche. Il se demanda s'il oserait faire remarquer à son beau-frère la bonne décennie d'impitoyables brimades qui attendait le gamin une fois que ses pairs auraient découvert ce que ses initiales évoquaient. DIY. *Do it yourself.* Le petit bricoleur. Il décida de garder ça dans son coffre à rancune en réserve de représailles potentielles. Parfois, Dermot lui tapait vraiment sur le système.

Il regarda son beau-frère, Dermot Young, s'approcher avec deux chopes de bière à la main. Il en accepta une avec joie. Il avait une soif terrible.

– Il a une belle paire de poumons, de toute façon, lança Dermot. Tu disais, Wesley?

– ... non, c'est un État appelé Minas Gerais, très éloigné mais avec cette étonnante tradition musicale. Enfin, tu as Beto Guedes, Toninho, le seul et unique Milton Nascimento, bien entendu, Lo Borges, Wagner Tiso. Tous ces incroyables talents qui...

– ... HELEN! Tu ne peux pas le coucher ou quoi? On ne peut plus s'entendre par ici.

Wesley avala la bière pétillante. Pauline, débarrassée de Daniel-Ian, et suivie de la mère de Wesley, s'avançait avec une tranche du gâteau de baptême sur une assiette.

– D'accord, d'accord, dit Pauline sur un ton ricanant que Wesley jugea déplaisant, que complotez-vous tous les deux? Hein?

– Où as-tu trouvé ce costume, Wesley, s'enquit sa mère tout à trac. C'est un de ceux de ton père? Ce qui fit s'ébaudir l'assistance. Wesley garda le sourire.

– Non, dit Dermot. Wes me parlait de cette bande de musiciens du...

– ... Brésil.

Les épaules de Pauline s'effondrèrent et elle se tourna d'un air las vers la mère de Wesley.

– Je vous l'avais bien dit, Isabel, n'est-ce pas? Brésil. Brésil. Je vous l'avais bien dit. Franchement.

– Toi et ton Brésil, l'admonesta sa mère. Ce n'est pas comme si on avait des Brésiliens dans la famille.

– Et pas comme si tu avais été là-bas, dit Pauline, avec une hostilité marquée dans la voix. Tu n'y as jamais mis les pieds.

Wesley se fredonna en silence l'air d'une samba de João Gilberto. Gilberto avait pris la forme traditionnelle pour la distiller à travers un filtre de jazz cool. C'est João qui avait dépouillé l'excès de percussion dans la musique brésilienne et amené la bossa nova à...

– Ouais, qu'est-ce que tu as avec ton Brésil, Wes? demanda Dermot, une mince moustache d'écume de bière sur la lèvre. Qu'est-ce qui se passe?

CHINNNNNG ! CHANNNNNNGGG !! Liceu Lobo posa sa guitare et avant de prendre la mandoline, il noua ses nattes sur sa nuque en un chignon lâche. Gibson Piacava produisit un roulement mat sur la *zabumza* et Liceu Lobo commença à pincer lentement la phrase musicale qui semblait dominer *Les Vagues sur le rivage* à ce stade dans sa composition impromptue. Joel Carlos Brandt se mit machinalement à faire écho au phrasé de la mandoline sur sa guitare et Bola da Rocha reprit sur un ton plaintif la mélodie sur son saxophone.

Derrière la vitre du studio d'enregistrement, Albertina oscillait des hanches au rythme sinueux qui s'établissait lentement. Du pur *chorinho*, pensat-elle, sensuel et pourtant mélancolique, seul Liceu est capable de produire ça, de tous les grands *choroes* du Brésil, il était le meilleur. Liceu se retourna, surprit son regard et lui sourit tout en continuant à jouer. Elle embrassa le bout de son index et le pressa contre le verre tiède de la vitre qui les séparait. Une fois que Liceu et ses amis musiciens entamaient une session de ce genre, ça pouvait durer des jours entiers, voire des semaines. Mais elle l'attendrait patiemment, elle l'attendrait jusqu'à ce qu'il ait fini et elle l'emmènerait chez eux dans leur grand lit.

Wesley pénétra dans le jardin et ouvrit son téléphone portable.

– Café Caravelle, que puis-je faire pour vous?

– Oh... puis-je parler à, euh, Margarita?

– MARGARITA! *Telefono.*

Dans le crépuscule frisquet d'un jardin de Hounslow, Wesley Brillant entendit le baragouinage de voix étrangères, le choc irrégulier de l'argenterie et de la porcelaine, et il eut l'impression d'appeler une contrée lointaine, très au-delà des mers. Une chaleur naquit dans son corps, un foyer grandissant, au plus profond de ses entrailles.

– Allô?

Cette légère hésitation gutturale sur le «A»...

– Margarita, c'est Wesley.

– Rallô?

– Wesley. C'est moi... Wesley?

– S'il vous plaît?

– WESLEY!

Il se retint de crier plus fort et répéta son nom plusieurs fois dans un chuchotement rauque tout en surveillant d'un œil les fenêtres jaunes de la maison de Dermot. Il aperçut quelqu'un qui l'observait, une silhouette.

– Ah, Weseley, dit Margarita. Oui?

– Je passerai vous prendre à dix heures, devant le café.

Debout sur le seuil de la porte de la cuisine, Pauline, les sourcils froncés, explorait le crépuscule qui envahissait le jardin. Wesley avança dans le rectangle de lumière que la porte ouverte jetait sur la pelouse.

– Qu'est-ce que tu fabriques, Wesley?

Wesley glissa son mince téléphone dans sa poche-revolver.

– J'avais besoin de respirer un peu, dit-il. Je me sens patraque, à la vérité. Ces vol-au-vent m'ont paru douteux.

Pauline était contrariée : elle avait compté sur un repas au restaurant après le baptême, mais elle s'inquiétait aussi pour Wesley et sa santé. «J'ai pensé que tu avais l'air un peu pâlot», dit-elle, alors qu'il la déposait devant chez elle. Elle le fit attendre pendant qu'elle allait à l'intérieur et ressortait avec deux sachets de tisane de menthe «pour lui remettre l'estomac en place». Elle en prenait quand elle se sentait nauséeuse, affirmat-elle, et ça faisait merveille.

En démarrant, il perçut l'odeur âcre de son parfum, ou de sa poudre ou de son fond de teint, sur sa joue, là où elle l'avait embrassé et il éprouva un relent de culpabilité devant sa duplicité – si quelque chose d'accompli avec tant de facilité méritait cette qualification – et une légère honte l'enveloppa pendant une minute ou deux tandis qu'il se dirigeait à l'est vers le Café Caravelle et Margarita qui l'attendait.

Elle avait lâché ses cheveux. Elle avait lâché ses cheveux et il fut à la fois ravi et étonné de la manière dont ça la changeait. Et de la voir aussi autrement qu'en noir, c'était presque trop. Il transporta leurs consommations à travers la bruyante bousculade du pub jusqu'au fond de la salle où elle était assise, sur un haut tabouret, son coude reposant sur un étroit rebord destiné aux verres. Elle buvait une double vodka à l'eau, sans glace ni rondelle de citron, chose qu'il trouvait excitante et vaguement troublante. Il avait reniflé le verre pendant que la barmaid lui servait son rhum-coca et ça lui avait paru tenir de l'industrie lourde, un carburant étrange ou un nouveau lubrifiant, un truc qu'on verserait dans une machine plutôt que dans son gosier. Ça n'avait rien d'une boisson du Sud chaleureux, ne convenait aucunement à sa beauté latine taciturne, mais beaucoup plus aux mornes soifs d'un ouvrier métallurgiste de Smolensk. Pourtant, la façon dont elle l'avala, sans frémir, en trois gorgées efficaces, ne manquait pas de charme. Puis elle rouvrit la bouche pour exprimer en termes brefs, brutaux, sa haine à l'égard de son boulot. Un thème familier, que Wesley reconnut pour l'avoir entendu lors de ses deux précédents rendez-vous avec Margarita, le premier, un rapide café dans un resto-vite à hamburgers avant le début de son service de nuit, et puis un déjeuner moins précipité par un dimanche d'automne dans un pub tapageur au bord de l'eau à Richmond.

A cette occasion, elle n'avait guère paru dans son assiette, intimidée peut-être par la jovialité encombrante des gros clients bruyants et de leurs compagnes gaies et fringantes. Mais ce soir elle avait repris la même complainte assommante – les habitudes mensongères et rébarbatives de João, le directeur du Caravelle – et Wesley avait dû reconnaître que ça relevait nettement de l'obsession.

Ils s'étaient embrassés brièvement, de façon pas très satisfaisante, après leur escapade dominicale et Wesley avait le sentiment que ceci l'autorisait maintenant à prendre la main libre de Margarita (l'autre tenait une cigarette) et de la serrer. Margarita s'arrêta de parler et, pensa-t-il, lui sourit à moitié.

– Weseley, dit-elle avant d'écraser sa cigarette puis de grimacer : Ce soir, je crois que je veux me saouler...

Voilà, tu y es, se dit-il. Voilà. Ça y était. Ce moment contenait la gigantesque différence entre une Pauline et une Margarita. Une tisane de menthe et une vodka sans glace. Il sentit ses entrailles défaillir sous l'effet d'un effrayant désir.

Il repartit vers le bar lui chercher un autre verre et commanda la même chose pour lui. L'absence de glace semblait renforcer la puissance de l'alcool tiédasse. Ses narines le brûlèrent, il plissa ses yeux remplis de larmes. Fait avec des pommes de terre, difficile à croire. Ou était-ce des épluchures de pommes de terre? Il avait l'impression que ses dents se déchaussaient. Il était debout près d'elle. Quelqu'un lui avait fauché son tabouret.

Margarita sirota son verre avec plus de décorum cette fois.

– Je déteste ce *poutain* de boulot, dit-elle.

Il porta ses jointures à ses lèvres et les embrassa.

– Dieu, que tu m'as manqué, dit-il. Puis, prenant une longue inspiration :

– Margarita, ajouta-t-il doucement, *tenho muito atraçao para tu.*

Il espérait de tout son cœur prononcer correctement avec les intonations mouillées et nasales de rigueur. Il trouvait le portugais comiquement difficile à prononcer, quel que fût le nombre d'heures qu'il consacrât à écouter ses cassettes.

Elle fronça les sourcils. Trop vite, espèce d'idiot. Sacré idiot.

– Comment?

Ses lèvres formèrent à moitié un mot.

– Je ne, je ne...

Avec plus de lenteur, plus de soin :

– *Tenho muito atraçao – muito, muito – para tu.*

Il glissa sa main dans le dos maigre, ses doigts s'arrêtant momentanément sur la fermeture du soutien-gorge et l'attira contre lui. Il l'embrassa, là dans le pub torride, audacieusement, avec un choc notable de dents mais sans mouvement de recul de la part de Margarita.

Il redressa la tête, la paume toujours posée sur son corps tiède au-dessus de la hanche.

Elle lui caressa les lèvres du gras du pouce, le scrutant sans hostilité, il fut heureux de le constater, pas même de surprise. Elle rebut une gorgée de sa boisson grisâtre et plate, tout en continuant à le regarder par-dessus le bord de son verre.

– *Sempre para tu, Margarita, sempre.*

D'une voix rauque cette fois. Sincère.

– Weseley. Que racontes-tu? *Sempre*, je comprends. Mais le reste...

– Je... je parle portugais.

– Pour quoi faire?

– Parce que je... Parce que je veux parler ta langue. J'adore ta langue, tu dois comprendre. Je l'entends dans ma tête, dans votre musique.

– Eh bien...

Elle haussa les épaules et tendit la main vers ses cigarettes.

– Alors, il ne faut pas me parler portugais, Weseley. Je suis italienne.

A la seconde même où il entrait dans sa chambre au bordel, Marta s'était débarrassée de son soutien-gorge et avait fait glisser sa culotte avec ses pouces. Il eut un aperçu de son derrière dodu sous la lumière venant du coin toilette. Elle était de braises ce soir, en feu, se dit-il tout en retirant son T-shirt et en laissant tomber son caleçon par terre. Au moment où il atteignait le bord du lit, il sentit les mains de Marta se poser sur son membre engorgé. Il était un charmant jeune homme et même la plus vieille des putes aime un charmant jeune homme pourvu d'un instrument précoce et impatient. Il sentit les mains de Marta s'emparer de son *pepino* comme si elle l'évaluait pour un inventaire de catin. *Maldito seja!* songea Liceu Lobo, resserrant violemment les muscles de son sphincter tandis que Marta l'enlaçait entre ses cuisses généreusement accueillantes, il aurait dû absolument se branler avant de venir ici ce soir. Marta avait toujours cet effet sur lui. *Deus!* Il se précipita dans l'arène.

Ça ne s'était pas bien passé. Non. Il devait y faire face, le reconnaître carrément. Dans le genre baisage c'était indubitablement du moins que moyen, voire du médiocre. Et c'était sa faute. Mais pouvait-il l'imputer au fait qu'il avait couché avec une Italienne et non une Portugaise ? Ou à la demi-douzaine de vodkas à l'eau qu'il avait consommées pour tenir compagnie à Margarita ?...

Son humeur avait changé, subtilement, quand il avait appris la vérité, une tristesse sourde, un mince filet de mélancolie avait paru pénétrer dans le pub tapageur, et le déprimer. L'incontournable sentiment d'être trahi par la nationalité de Margarita. Elle était censée être portugaise, c'était là le cœur de l'affaire, autrement rien ne fonctionnait plus.

Il se retourna dans son lit et contempla le vague contour du profil de Margarita endormie près de lui. Cela importait-il vraiment ? s'interrogea-t-il. C'était la première fille étrangère qu'il avait embrassée, sans parler de baiser, alors pourquoi avait-il été incapable de se débarrasser de ce sentiment de trouble ? Une sorte d'humeur maussade qui l'avait envahi, comme un enfant gâté à qui l'on eût promis puis refusé un cadeau. Ce n'était guère la faute de Margarita, après tout, mais un côté irrationnel chez lui la blâmait de ne pas être portugaise, d'avoir inconsciemment encouragé ses espoirs en ne le prévenant pas dès leur première rencontre qu'elle ne répondait pas à ses exigences de nationalité. D'une certaine manière, elle devait partager les responsabilités.

Il se retourna, somnola et rêva vaguement de Liceu Lobo en costume blanc. Au sommet d'une montagne avec Leonor ou Branca, Caterina ou Joana. Un balcon avec deux fauteuils. Des mangues aussi grosses que des ballons de rugby. Liceu, cheveux blonds au vent, posant ses lunettes de soleil, tendant sa main, disant : « Moi, je signe de mon sourire. » Le mince corps mulâtre de Joana. Le son lointain d'une chute d'eau.

Il se redressa à moitié, clignotant bêtement des yeux.

– Joana ?

La silhouette nue sur le seuil se figea.

– Joana?

La silhouette s'avança.

– *Vaffanculo!* dit Margarita, la lassitude durcissant sa voix.

Elle alluma la lumière et commença à se rhabiller tout en parlant, plus à elle-même qu'à lui. Le pauvre portugais de Wesley ne lui fut en l'occurrence d'aucune aide, mais il put deviner que ses paroles n'étaient pas aimables. Il ne s'était pas totalement réveillé de son rêve. Comment le lui expliquer? Elle fut très vite rhabillée et laissa la porte ouverte en partant.

Wesley enfila sa robe de chambre et descendit lentement l'escalier. Il s'assit un moment dans son salon obscur et but à même la bouteille de rhum, la posant sur son genou entre deux lampées, toussant et respirant profondément, s'essuyant la bouche du revers de la main. Finalement, il se leva et mit un disque d'Elis Regina dans son lecteur de CD. Étrange, et presque insupportable, la voix de la femme remplit de son écho la pénombre. « *Nem uma lagrima.* » Pas une seule larme, se répéta Wesley. Tout haut. Sa propre voix lui parut bizarre, celle d'un autre. Pauvre tragique Elis, Elis Regina, morte en 1982, à l'âge de trente-sept ans, tragiquement, d'un imprudent mélange de drogues et d'alcool. « Boissons et drogues », disait la pochette du disque. Tragique. Une perte tragique pour la musique brésilienne. Foutrement tragique. Il appellerait Pauline ce matin, voilà ce qu'il allait faire. Entre-temps, il avait son *chorinho* pour le consoler. Il se réconcilierait avec Pauline, elle méritait un cadeau, une gâterie, absolument, un week-end quelque part. Absolument. Pas une seule larme, lui chantait Elis Regina. Tout irait bien pour lui. Le Brésil était toujours là. Pas une seule larme.

L'amant de rêve

– Aucune de ces filles n'est française, hein?
– Non. Mais elles sont européennes.
– Pas la même chose, mon vieux. C'est française qui compte.
– Naturellement...
Je ne sais pas de quoi il parle, mais il me paraît politique d'approuver.
– Tu connais une Française?
– Naturellement, je répète.
C'est presque un mensonge mais à ce stade peu importe.
– Oui, mais bien? Enfin, assez bien pour l'inviter?
– Certes, pourquoi pas.
Là on est en plein bobard, mais ça m'est égal. Je me sens à l'aise dans mes pompes, adulte, rempli d'assurance. Ce mensonge peut germer et croître pendant un bout de temps.
Appuyé contre un mur au milieu d'un pâle parallélogramme de soleil printanier, je parle à mon ami

américain, Preston. Le mur appartient au Centre universitaire méditerranéen, une vaste villa enrobée de stuc, à Nice. Devant nous une petite cour pavée cernée d'une balustrade. Au-delà, la promenade des Anglais, ses quatre couloirs envahis par la circulation. Par-dessus les toits étincelants des voitures, j'aperçois la Méditerranée. La baie des Anges paraît grise et triste en cette saison : l'eau vieille, fatiguée – cendrée, boueuse...

– Il faut que nous fassions quelque chose... dit Preston, avec une trace de fureur désespérée dans la voix.

Le « nous » me plaît. Preston gratte bruyamment ses cheveux courts.

– Avec le nouvel appart et tout...
– Tu as quitté l'hôtel ?
– Ouais. Tu veux passer ce soir ?

Il bouge sa grande carcasse, comme dérangé par une démangeaison fugitive, et tapote ses poches – poitrine, hanches, cuisses – à la recherche de ses cigarettes.

– On a un bar sur le toit.

Je suis intrigué, mais j'explique qu'il me faut refuser l'invitation car nous sommes lundi, et tous les lundis soir je dîne dans une famille française, des amis d'amis de ma mère.

Preston hausse les épaules, puis trouve et allume une cigarette. Il fume une marque américaine appelée Picayunes, fabriquée à la Nouvelle-Orléans. Il en a apporté deux mille avec lui lors de sa venue en France. Il n'a jamais fumé rien d'autre depuis l'âge de quatorze ans, affirme-t-il.

Nous regardons nos condisciples déambuler dans l'immeuble. Ce sont tous pratiquement des étrangers pour moi, ces brillants garçons et filles, puisque je ne suis à Nice que depuis quelques semaines, et Preston est le seul ami que je me sois fait. Vaguement envieux de leur gaieté sans complication, je regarde les autres bavarder et se mêler – Allemands, Scandinaves, Italiens, Tunisiens, Nigérians... Nous sommes tous des étrangers travaillant dur à essayer d'apprendre le français et d'obtenir nos diplômes. Excepté Preston qui ne fait pas le moindre effort et semble très content de demeurer monoglotte.

Un jeune type avec des cheveux longs s'amène en moto dans la cour. Il ne porte pas de chemise. Il est anglais et, à part moi, le seul dans ces lieux. Il fait tourner son engin sans nécessité avant de le garer et d'arrêter le moteur. Il prend un T-shirt dans une sacoche et l'enfile nonchalamment. Je songe combien j'aimerais avoir une moto et faire exactement ce qu'il a fait... Il s'appelle Tim. Un jour, j'imagine, nous serons peut-être amis. Nous verrons.

M. Cambrai m'accueille avec sa jovialité épuisante, impossible. Il me serre la main avec ferveur et crie à sa femme par-dessus son épaule : *« Ne bouge pas. C'est l'habitué !*★ *»*

135

C'est ainsi qu'il m'appelle : l'habitué, *l'habitué du lundi*, pour citer le titre au complet, ainsi baptisé parce que je suis invité à dîner tous les lundis sans faute. Il n'utilise presque jamais mon nom et parfois je trouve cet alias perpétuel un peu fatigant, un peu stressant. « Salut l'habitué », « Bien mangé, l'habitué ? » « Encore du vin, l'habitué ? » et ainsi de suite. Mais je l'aime bien, lui ainsi que toute la famille Cambrai ; en fait, je les aime tant que je m'en sens tout faible, insuffisant, intimidé.

M. et Mme Cambrai sont petits, en pleine forme, raffinés et vifs, le corps soigné et alerte. Tous deux sont des dentistes qui se trouvent enseigner à la faculté de médecine ici à Nice. Une bonne part de mon affection pour eux est due au fait qu'ils ont trois filles – Delphine, Stéphanie et Annique –, toutes plus âgées que moi et toutes pourvues, à mes yeux embrumés et troublés, d'une beauté incandescente, quasi surnaturelle. Stéphanie et Annique habitent encore chez leurs parents, Delphine a un appartement quelque part en ville mais dîne souvent à la maison. Ce sont ces filles que je prétends connaître, quoique connaître soit un mot bien trop peu à la hauteur pour résumer la complexité de mes sentiments à leur égard. Je viens chez elles chaque lundi soir comme un suppliant et un dévot, rempli à la fois de crainte et de respect. Silencieux et passionné, je passe deux heures environ en leur présence lumineuse, émasculé par la conscience de ma prodigieuse chance.

136

Je suis encore plus mortifié quand je considère la gentillesse désarmante, désintéressée de la famille. A mon arrivée à Nice, ils étaient les seuls contacts que j'avais dans la ville et, sur les instances de ma mère, je leur écrivis dûment, mentionnant le lien ténu *via* l'amie de ma mère. A ma surprise, je fus promptement invité à dîner et puis réinvité chaque lundi soir. Ce qui me faisait honte, c'est que je me savais incapable de montrer aussi vite autant d'hospitalité, même envers un ami intime, et de surcroît je ne connaissais personne qui en fût capable. Je franchis donc chaque lundi le seuil des Cambrai avec un riche mélange de sentiments gargouillant en moi : honte, culpabilité, gratitude, admiration et – cela va sans dire – désir.

La nouvelle adresse de Preston, la Résidence des Anges se situe promenade des Anglais. Je contemple l'immeuble, impressionné. Je suis souvent déjà passé devant, un édifice vulgaire et désolant sur ce boulevard célèbre, un rectangle nu de verre fumé cuivré avec des rangées empilées de balcons en aluminium doré.

J'appuie sur une sonnette sur un mince pilier de béton et parle dans un judas grésillant. A ma mention du nom de « Mr Fairfield », les portes de verre s'ouvrent doucement et je suis admis dans un foyer de granite nu où un homme taciturne me conduit à l'ascenseur.

Preston loue un petit studio avec salle de bains et kitchenette. Un module soigné et efficace, dans les tons pastel. Aux murs, une série de gravures d'oiseaux exotiques : un toucan, un aigle bateleur, une chose appelée pie-grièche bleue. Tout en regardant, je songe à mon propre logis temporaire, mon étroite chambre dans l'appartement antique et sombre de Mme d'Amico, à la salle de bains malcommode et sans baignoire que je dois partager avec les autres pensionnaires, et une soudaine vague d'envie me traverse. J'entends d'une oreille Preston énumérer les conséquences diverses de sa location : combien ce studio coûte par mois ; le supplément scandaleux qu'il lui a fallu payer avant même de le louer, et l'obligation dans laquelle il s'est trouvé de se faire rembourser son billet de retour (première classe) pour les États-Unis pour pouvoir l'acquitter. Il dit qu'il a téléphoné à son père de lui envoyer encore de l'argent.

Nous montons sur le toit, six étages au-dessus de la Promenade. A ma vague inquiétude, je découvre une petite piscine et une vaste cabane vitrée, meublée d'un bar en bambou et de sièges en rotin, et baptisée « Club des Anges » selon une enseigne au néon. Un barman en veste couleur cerise gère les lieux, un type corpulent du nom de Serge au visage pâle et à la moustache clairsemée. Bien que Preston plaisante d'un air condescendant avec lui, il m'apparaît tout de suite clairement que Serge déteste Preston et que Preston n'a pas la moindre conscience de la puissante animosité dont il est l'objet.

Je commande un grand gin-tonic à Serge et, durant une palpitante minute aiguë, je déteste Preston moi aussi. Je sais qu'il y a bien d'autres meilleurs exemples à offrir, certes, mais pour le moment cet immeuble étincelant et ses *accoutrements*★ feront l'affaire comme approximation de la Belle Vie pour moi. Et tandis que je sirote mon amère boisson, un sentiment non moins amer de l'immense injustice de l'univers m'envahit impitoyablement. Pourquoi ce grand Américain sans astuce, à peine plus vieux que moi, avec ses deux mille cigarettes fabriquées en Louisiane et ses billets de première classe remboursables, a-t-il tout *ça*... pendant que j'habite une étroite chambre à l'odeur de renfermé dans l'appartement décrépi d'une vieille femme ? Ma gêne financière est le résultat d'une interminable grève postale en Grande-Bretagne qui fait qu'aucuns fonds ne peuvent être transférés sur mon compte à Nice et que je dois ménager mes ressources tel un paysan névrosé conscient d'un long hiver à l'horizon. Où est mon argent, je veux savoir, où sont mes gravures d'oiseaux exotiques, mon club, ma piscine ? Combien de temps aurais-je à attendre avant que toutes ces choses deviennent l'ordinaire de ma vie ?... Je laisse cette voix désagréable geindre et gémir en moi alors qu'assis sur la terrasse nous admirons la vue de la baie. Une habitude que j'ai déjà, même à mon âge, est de ne pas résister à ces ardentes rancunes – mais de leur donner libre cours, de les laisser s'épuiser d'elles-mêmes, c'est toujours mieux en fin de compte.

En fait, je suis attiré par Preston et je tiens à ce qu'il soit mon ami. Il est grand, bien bâti – on pense au mot « découplé » –, affable et pas particulièrement intelligent. Pour moi, ses vêtements sont si américains que ça dépasse la caricature : chemises flottantes bleu pâle avec des cols boutonnés, vieux pantalons kaki assez courts pour découvrir des socquettes blanches et de grands mocassins marron. Il a des cheveux blonds courts, des traits réguliers et quelconques. Il a une montre en or, un briquet Zippo et une vilaine bague sertie d'une pierre rouge. Il m'a affirmé un jour, en toute candeur et modestie, qu'il « jouait un tennis du niveau Coupe Davis ».

Je me suis toujours demandé ce qu'il faisait à Nice et au Centre. J'ai d'abord pensé qu'il était peut-être un conscrit évitant la guerre du Vietnam mais je soupçonne à présent – d'après certaines de ses allusions – qu'il a été expédié en France en guise de châtiment. Sa famille n'en veut pas chez elle : il a fait une bêtise et ce séjour à Nice est sa punition.

Une punition pas vraiment très lourde, c'est certain : il ne prend aucun intérêt à ses cours – ceux auxquels il se donne la peine d'assister –, pas plus qu'à la langue et à la culture françaises. Il lui faut simplement endurer son exil et puis il pourra rentrer chez lui où, j'imagine, il reprendra sa douce vie de privilèges ordinaires et de facilité irréfléchie. Il parle beaucoup de son retour aux États-Unis où il prévoit d'imposer son châtiment à lui ou de tirer sa récompense particulière. Il déclare qu'il forcera son père à lui acheter une Aston Martin. Son père n'aura rien à dire, souligne-t-il avec une véhémence et une détermination atypiques. Il obtiendra son Aston Martin et c'est la brillante promesse de cette éblouissante automobile anglaise qui paraît le soutenir dans ces jours de pénitence sur le littoral méditerranéen.

Je me découvre bientôt un visiteur régulier de la Résidence des Anges où je me rends la plupart des après-midi, à la fin de mes cours. Preston et moi nous installons dans le club, près de la piscine s'il fait soleil, et nous buvons. Nous consommons de substantielles quantités (toutes à son compte) et conséquemment je suis en général pas mal ivre dès le coucher du soleil. Nos conversations sont diverses et variées mais, à un moment donné, Preston réitère son souhait de rencontrer des jeunes Françaises. Si je connais vraiment des Françaises, dit-il, pourquoi est-ce que je ne les invite pas au Club ? Je réponds que je travaille à ça et je change froidement de sujet.

Peu à peu, au fil des jours, j'en apprends davantage sur mon ami américain. Il est fils unique. Son père (qui n'a pas répondu à ses demandes d'argent) est milliardaire – affaires immobilières. Sa mère en a divorcé récemment pour épouser un autre milliardaire, plus riche. Entre ses deux couples de parents milliardaires, Preston a le choix de huit maisons aux États-Unis : Miami, New York, Palm Springs et un ranch dans le Montana. Preston a quitté l'université au bout de deux semestres et ne travaille pas.

– Pourquoi le ferais-je ? arguë-t-il, raisonnablement. Ils ont bien suffisamment d'argent pour moi aussi. Pourquoi devrais-je me casser le cul à essayer d'en gagner davantage ?

– Mais n'est-ce pas... Que fais-tu toute la journée ?

– Plein de conneries... Mais j'aime surtout beaucoup jouer au tennis. Et j'aime baiser, naturellement.

– Alors pourquoi es-tu venu à Nice ?

Il sourit.

– J'ai été un vilain garçon. (Il se tape sur le poignet et éclate de rire.) Vilain, vilain, vilain Preston !

Il refuse de me dire ce qu'il a fait.

C'est le printemps à Nice. Chaque jour, nous bénéficions d'un peu plus de soleil et dès qu'il apparaît, dans les dix minutes, je vois une fille s'allonger sur la plage publique devant le Centre pour

142

se bronzer. Je reste souvent à la regarder s'étaler là, sur le dos, sur les galets frais – la seule tout le long de la baie. Il s'avère qu'elle est très connue, qu'elle est un phénomène annuel. Dès le commencement de l'été son bronzage est solidement installé et elle est certes très brune. En août elle est pratiquement noire, avec cette sorte de bronzage dense, mat, la peau brûlée à mort, les pores débordant de mélanine. Son ambition chaque année, dit-on, est d'être la fille la plus bronzée de la Côte d'Azur...

Je la regarde étalée là, immobile sous la pluie iridescente d'ultraviolets. Il ne fait absolument pas chaud – même avec ma veste et mon écharpe je frissonne un peu dans la brise fraîche. Pourquoi se donne-t-elle tout ce mal ? Je me le demande, mais en même temps, je dois admettre qu'il y a quelque chose d'admirable dans pareille concentration, pareil entêtement.

Finalement, j'amène ma première fille au Club pour rencontrer Preston. Elle s'appelle Ingrid, elle est dans ma classe, norvégienne mais avec des cheveux auburn foncé. Je ne la connais pas bien mais elle semble être une bonne âme, sans complication. Elle parle l'anglais et l'allemand à la perfection.

– Êtes-vous française ? demande Preston presque sur-le-champ.

Ingrid est très amusée.

– Je suis norvégienne, explique-t-elle. Est-ce important ?

Je m'excuse auprès de Preston quand Ingrid va se mettre en maillot de bain mais d'un signe de la main il m'absout, ne t'en fais pas, dit-il, elle est mignonne. Ingrid revient, nous nous asseyons au soleil et commandons le premier de nos nombreux verres. Ingrid, après quelques encouragements, fume une des Picayunes de Preston. Un seul nuage, léger, vient gâter notre agréable après-midi : plus Ingrid boit, plus sa conversation est dominée par des allusions à un Français du nom de Jean-Jacques qu'elle fréquente. Preston cache sa déception ; il est le summum des bonnes manières.

Plus tard, nous jouons au poker en utilisant des biscuits au fromage comme jetons. Ingrid, dans son maillot multicolore, est assise en face de moi. Elle est plus rondelette que je ne l'imaginais et je décide que, si j'avais à la résumer en un mot, ce serait « quelconque ». Excepté un détail : elle a des aisselles très poilues. A un moment, elle se redresse sur sa chaise, étudiant ses cartes pendant une bonne minute, se grattant paresseusement de sa main libre une morsure sur la nuque. Mon regard et celui de Preston sont attirés par l'épaisse motte de poils auburn que révèle ce geste : nous la fixons, fascinés, tandis qu'Ingrid décide de montrer ses cartes ou de monter sa mise. (Après son départ, Preston confesse qu'il a trouvé très érotique cette absence de rasage. Je suis moins convaincu.)

Ce soir-là, nous restons au club tard dans la nuit, les seuls clients comme de coutume, Serge impassible rafraîchissant nos consommations à mesure que Preston le demande. La présence d'Ingrid, la charge érotique qu'elle a déclenchée sans le savoir dans nos après-midi habituellement tranquilles et alcoolisés, semble avoir troublé quelque peu Preston et, sans véritable incitation de ma part, il me raconte la raison de sa venue à Nice. L'homme avec lequel sa mère s'est remariée était veuf, un homme plus vieux, avec quatre enfants déjà dans leurs vingt ans. Quand Preston a abandonné l'Université, il est allé habiter chez sa mère et son nouveau beau-père.

Il exhale des ronds de fumée, mange plusieurs olives, son visage se fait un instant sérieux et solennel.

– Cet homme, Michael, avait trois filles – et un fils, déjà marié – et mon vieux, tu aurais dû voir ces filles ! (Il sourit, un sourire stupide, idiot.) J'avais dix-huit ans et me voilà avec trois superbes filles dormant dans des chambres à côté de la mienne. Qu'étais-je censé faire ?

La réponse, inexprimée, paraît se glisser dans le club comme un courant d'air. Je sens mon épine dorsale se raidir.

– Tu veux dire...

– Ouais, bien sûr. Toutes les trois. Finalement.

Je ne peux pas parler, alors je réfléchis à ça. J'imagine une grande maison silencieuse, la nuit, de longs couloirs obscurs, des portes closes. Trois demi-sœurs blondes et bronzées, qui s'ennuient. Soudain arrive un grand jeune homme dans la maison, un étranger virtuel qui joue un tennis du niveau Coupe Davis.

— Qu'est-ce qui a dérapé ? réussis-je à demander.

— La plus vieille, Janie, est tombée enceinte, tu le croiras ? L'année dernière.

— Avortement ?

— Tu rigoles ? Elle a simplement épousé son fiancé en quatrième vitesse.

— Tu veux dire qu'elle était fiancée quand...

— Il ne sait rien du tout. Mais elle a tout raconté à ma mère.

— Le... l'enfant était...

— Je ne l'ai pas encore vu. (Il se retourne et appelle Serge.) Personne ne sait, personne ne soupçonnera... (Il sourit de nouveau) jusqu'à ce que le môme se mette à fumer des Picayunes. (Il réfléchit à sa vie un instant et tourne son gros visage doux vers moi :) Voilà pourquoi je suis ici. Profil bas. Pas exactement en odeur de sainteté à la maison.

La seconde fille que j'amène au Club est scandinave aussi – nous en avons huit dans la classe –, mais cette fois c'est une Suédoise nommée Danni. Danni est vive, très séduisante, à mon avis, avec des cheveux raides blond blanc. C'est une grande fille et elle serait parfaite si elle n'avait pas une jambe un peu rétrécie, notablement plus mince que l'autre, ce qui la fait boiter. Elle est merveilleusement inconsciente de son handicap.

– Salut, dit Preston. Êtes-vous française?

Danni dissimule son incrédulité :

– Mais oui, monsieur. Bien sûr.

Comme Ingrid, elle trouve cette présomption très amusante. Preston se rend vite compte de son erreur et traite sa déception à la légère. Danni porte un petit bikini bleu cobalt et nage même dans la piscine qui est glacée. (Serge dit qu'il y a un problème avec le système de chauffage mais nous ne le croyons pas.) Le courage de Danni impressionne Preston : je le détecte dans ses yeux tandis qu'il la regarde se sécher. Il lui demande ce qui est arrivé à sa jambe et elle lui raconte qu'enfant, elle a eu la poliomyélite.

– Merde, vous avez de la veine de ne pas avoir besoin d'un appareil orthopédique.

Ceci brise la glace et, très vite, nous nous enivrons bruyamment, à la très grande irritation de Serge. Mais il ne peut pas faire grand-chose, puisqu'il n'y a pas d'autre client pour se plaindre. Danni produit du hasch et nous fumons un joint. Typiquement, à part une légère nausée, la drogue n'a pas le moindre effet sur moi mais cela donne l'occasion à Serge de faire du zèle et, tout en débarrassant une tournée de verres vides, de dire à Preston :

– Ça ne va pas, Monsieur, non, non, ça ne va pas.

— Va te faire foutre, Serge, réplique l'autre aimablement, et l'éclat de rire impossible à arrêter de Danni se révèle contagieux.

Je perçois l'humiliation de Serge et je comprends que le rapport avec Preston se transforme rapidement : la déférence truculente a disparu ; l'animosité est maintenant ouverte, presque un défi.

Après le départ de Danni, Preston me parle de ses derniers problèmes d'argent. Son ardoise au Club se monte maintenant à plus de quatre cents dollars et la direction insiste pour qu'il la règle. Son père refuse de répondre à ses appels ou à ses télégrammes, et Preston n'a pas de cartes de crédit. Il songe à mettre sa montre en gage afin de payer une partie de sa dette et de retarder les soupçons. Je la lui achète pour cinq cents francs.

Je compte les filles dans ma classe. Je les connais à peu près toutes maintenant, assez bien pour leur parler. Ingrid et Danni sont revenues au Club et se sont enthousiasmées pour leurs après-midi là-bas ; je me rends compte que, pour mes condisciples, je suis devenu l'objet d'une certaine curiosité, résultat de ma capacité inattendue à dispenser ces petites doses de luxe et de décadence : une adresse chic, un club privé, la piscine sur le toit, le flot ininterrompu de consommations gratuites...

Preston a décidé, il y a quelque temps, d'aban-

donner ses cours de français, et je suis désormais
son seul lien avec le Centre. C'est avec des sentiments mitigés – je me sens vaguement dans un rôle
de maquereau, et bizarrement sali – que je réalise
combien il est simple d'attirer des filles au Club
des Anges.

Annique Cambrai est la plus jeune des filles
Cambrai et la plus proche de mon âge. Elle n'a
que deux ans de plus que moi mais paraît bien
davantage. J'étais, je l'avoue, étrangement intimidé
au début par sa beauté mûre, brune, son fin visage
séduisant, et je crois qu'en conséquence elle m'a
d'abord trouvé distant mais maintenant, après de
nombreux dîners du lundi, nous sommes plus
détendus et amicaux. Elle étudie le droit à l'université de Nice et parle bien l'anglais avec un accent
américain marqué. Elle m'assure à ce propos que
la plupart des universités françaises offrent maintenant un choix d'accents quand on étudie l'anglais
et, à l'instar de quatre-vingt-dix pour cent des étudiants, elle a opté pour l'américain.

Je détecte l'occasion et la saisis au vol : aimerait-
elle, dis-je, l'air dégagé, venir à la Résidence des
Anges faire la connaissance d'un de mes amis américains et peut-être tester son accent tout neuf?

Le lendemain matin, rue de France, en allant au
Centre, j'aperçois Preston devant une pharmacie,
en train de lire le *Herald Tribune*. Je l'appelle et

traverse la rue pour lui annoncer l'excellente nouvelle à propos d'Annique.

– Tu ne le croiras pas, dis-je, mais j'ai enfin une vraie Française.

Preston fait une drôle de mine : moitié sourire, moitié grimace morose et déçue.

– C'est épatant, réplique-t-il l'air morne, merveilleux.

Une grande fille mince sort de la pharmacie et lui tend un sac en plastique.

– Je te présente Loïs, dit-il.

Nous nous serrons la main.

Je sais qui est Loïs. Preston en a souvent parlé : ma foutue quasi-fiancée, il l'appelle. Loïs, j'apprends, a pris l'avion pour venir spontanément et sans crier gare lui rendre visite.

– Et, houlala, je ne vous raconte pas à quel point Papa et Maman sont furax ! déclare-t-elle en riant.

Loïs est une jolie fille avec un visage rond, innocent, pratiquement sans maquillage. Elle est grande – même sans talons elle est aussi grande que moi – avec une masse de cheveux châtains d'une épaisseur incroyable, un genre de chevelure que, pour une raison quelconque, j'associe particulièrement aux Américaines. Je suis certain aussi, encore que je n'en aie aucune preuve, que c'est une personne très propre – physiquement, je veux dire –, quelqu'un qui se douche et se lave régulièrement, qui sent le savon et l'odeur farinée persistante du talc.

Je les accompagne jusqu'à la Résidence. L'arrivée de Loïs a résolu pour le moment les problèmes financiers de Preston : ils se sont fait rembourser son billet de retour, ils ont réglé l'ardoise du bar et le loyer déjà échu du prochain trimestre. Preston se sent assez riche pour me racheter sa montre.

Annique paraît moins mûre et moins impressionnante dans son maillot de bain, je suis content de dire, bien que je sois déçu qu'elle ait choisi de porter un pudique une-pièce vert pomme. Le chauffage de la piscine a été « réparé » et pour la première fois nous nageons tous dans le petit rectangle azur – Preston et Loïs, Annique et moi. C'est à la fois étrange et excitant de voir Annique aussi relativement déshabillée et encore plus étrange de se bronzer étendus côte à côte, hanche contre hanche, à quelques centimètres l'un de l'autre. Loïs, de toute évidence, nous prend Annique et moi pour un couple – une idée bien naturelle étant donné les circonstances –, elle n'imaginerait jamais que je l'ai amenée pour Preston. Preston que je n'arrête pas de surprendre regardant Annique, avec, semble-t-il, une sorte de frustration et d'intense tristesse, humeur dont je suis seul conscient. Et une allégresse singulière monte en moi, non pas simplement à cause de l'innocente supposition de Loïs en ce qui concerne mes rapports avec Annique mais aussi parce que je sais maintenant que j'ai réussi. J'ai amené à Preston la parfaite

151

jeune fille française : Annique, à son aune, représente le paradigme, l'idéal platonicien pour ce
mâle américain. La voici, dévêtue, étendue près
de sa piscine, dans son club, buvant à ses frais,
mais il ne peut rien faire – et ce qui augmente
mon excitation, c'est de me rendre compte que,
pour la première fois depuis le début de notre
amitié, peut-être pour la première fois dans sa vie,
Preston envie quelqu'un d'autre. Moi.

A mesure que cette pensée grandit en moi, mon
impossible amour pour Annique fait de même.
Impossible parce que rien ne se passera jamais.
Je le sais – mais Preston ne le sait pas – et, d'une
certaine manière, la liaison fantôme, la liaison
entre Annique et moi, qui existera dans l'esprit de
Preston, dans son imagination fiévreuse et tour-
mentée, embellie et augmentée par sa déception
et l'occasion perdue, cette liaison sera plus que
suffisante pour moi, plus que je n'aurais jamais pu
espérer.

Depuis l'arrivé de Loïs, je me tiens à l'écart de
la Résidence des Anges. Ce ne sera plus jamais
la même chose et, en dépit de mon secret ravis-
sement, je ne veux pas narguer Preston avec le
spectre d'Annique. Mais je découvre que, sans
l'éperon de son envie, la tendre illusion perd inévitablement de son éclat ; car pour que ma vie de
rêve, mon amour de rêve, s'épanouisse, j'ai besoin
de le partager avec Preston. Je décide d'aller lui

rendre visite. Preston ouvre la porte de son studio.

– Salut, bel étranger, dit-il avec un certain enthousiasme. Qu'est-ce que je suis content de te voir.

Il semble sincère. Je pénètre à sa suite dans l'appart. La petite chambre est en désordre, le lit pas fait, le sol jonché de sous-vêtements féminins. J'entends le bruit de la douche dans la salle de bains. Loïs est peut-être une fille propre, mais il est clair qu'elle est aussi du genre foutoir.

– Comment vont les affaires avec Annique, s'enquiert-il presque aussitôt avec, dans la mesure où il le peut, l'air de ne pas y toucher.

Il ne peut pas s'empêcher de le demander, je le sais.

Je le regarde :

– Bien.

Je laisse se prolonger le silence, lourd d'insinuations.

– Non, elles vont très bien.

Ses narines frétillent et il secoue la tête.

– Nom de Dieu, tu es un foutu veinard…

Loïs arrive de la salle de bains dans une robe de chambre, se séchant les cheveux à l'aide d'une serviette.

– Salut, Edward, dit-elle, quoi de neuf?

Puis elle s'assied sur le lit et se met à pleurer.

Nous restons plantés là à la regarder sangloter doucement.

– Ce n'est rien, affirme Preston. Elle veut juste rentrer chez elle.

Il me raconte qu'ils n'ont ni l'un ni l'autre quitté l'immeuble depuis huit jours. Ils sont complètement, littéralement sans le sou. Les parents de Loïs ont annulé ses cartes de crédit et les appels en PCV aux États-Unis n'ont pas suscité de réaction. Preston n'a pas réussi à localiser son père et maintenant (signe inquiétant) son beau-père refuse de lui parler et bien que sa mère soit désireuse de l'aider, elle est impuissante pour l'instant étant donné l'état de disgrâce de Preston. Preston et Loïs ont vécu des olives, cacahuètes et autres biscuits au fromage servis au bar et, bien entendu, de quantités copieuses d'alcool.

– Ouais, mais maintenant on a même été bannis de là-haut, dit Loïs avec une âpreté inhabituelle dans la voix.

– Hier soir, j'ai tabassé ce connard, Serge, explique Preston avec un haussement d'épaules. Il fallait que je le fasse.

Il continue à énumérer leurs autres problèmes : leur ardoise au bar s'élève à plus de trois cents dollars ; Serge menace d'aller déposer plainte à moins d'être dédommagé ; la direction se montre hostile et soupçonneuse.

– Il faut qu'on sorte d'ici, dit Loïs d'un ton misérable. Je hais cet endroit, je le déteste.

Preston se tourne vers moi.

– Peux-tu nous venir en aide ? demande-t-il.

Je me sens éclater de rire intérieurement.

Dans la gare de Nice, je tends à Preston deux billets de train pour le Luxembourg et deux allers pour New York par Air Islande. Loïs les touche comme s'il s'agissait de reliques sacrées.

– Vous avez une attente de six heures à Reykjavik pour votre correspondance, je leur explique, mais, croyez-moi, il n'y a pas moyen de voyager à moins cher.

Je me laisse baigner dans leur gratitude un moment. Ils n'ont pas de bagages avec eux car il n'était pas question qu'on les voie quitter la Résidence. Preston m'assure que son père est à présent à New York et que je serai remboursé dès leur arrivée. J'ai dépensé presque tout ce que je possédais pour ces billets mais je m'en fiche – je suis enivré par ma propre générosité et l'étrange pouvoir qu'elle m'a conféré. Loïs nous laisse, en quête de *toilettes*★, et Preston m'étreint gauchement.

– Je n'oublierai pas ça, vieux, répète-t-il maintes fois.

Nous célébrons notre brève mais intense amitié et jurons de sa permanence, mais pendant tout ce temps j'attends qu'il me pose la question. Je la sens croître dans sa tête telle une tumeur. A travers la foule des passagers nous voyons Loïs revenir. Il ne lui reste pas beaucoup de temps.

– Écoute, commence-t-il, à voix basse, est-ce que Annique et toi... ? Enfin, êtes-vous... ?

– Nous cherchons un appart. C'est pour ça que tu ne m'as pas beaucoup vu.

– Bon Dieu...

Loïs crie quelque chose au sujet de l'horaire du train, mais nous n'écoutons pas. Preston semble trembler, il se tourne et lorsqu'il me fait de nouveau face j'aperçois dans ses yeux les feux pâles d'un ressentiment impuissant.

– Est-ce que tu la baises ?

Je le regarde à la manière dont les hommes se regardent. Et je dis :

– Pour quelle autre raison chercherions-nous un appart ?

Loïs arrive et remarque aussitôt la mine tendue, bizarrement pincée de Preston.

– Que se passe-t-il, demande-t-elle. Tu es OK ?

Preston me désigne d'un geste comme s'il ne pouvait pas prononcer mon nom :

– Annique... Ils vont vivre ensemble.

Loïs piaille. Elle est tellement ravie, vraiment oui, vraiment vraiment elle aime beaucoup Annique.

Au moment de monter dans le train, Preston s'est calmé et nos derniers adieux sont sincères. Il fait du regard un tour attentif de la modeste gare comme s'il essayait de la graver dans sa mémoire, comme s'il souhaitait maintenant conserver quelque chose de cette ville où il a vécu avec une telle suffisance, avec un tel manque de curiosité.

– Bon Dieu, c'est dommage, dit-il avec une ferveur exquise, je sais que j'aurais pu aimer Nice. Je le sais. J'aurais vraiment pu.

Je recule, sans un mot : ceci est trop beau, trop généreux de sa part. C'est parfait.

– Fais mes amitiés à Annique, dit doucement Preston tandis que Loïs lance des « au revoir » bruyants. Il sourit :

– Salaud de veinard.

– T'inquiète, je dis en regardant Preston. Je n'y manquerai pas.

N pour N

Nguyen N, laotien, homme de lettres et philosophe amateur. Né à Vientiane, au Laos, en 1883; mort à Paris, France, le 22 février 1942. La famille de N était d'origine bourgeoise, relativement riche, francophone et francophile. Nguyen, un enfant précoce mais un peu maladif, brûlait d'envie d'aller à Paris, mais la Première Guerre mondiale l'empêcha d'y arriver avant l'âge de vingt-quatre ans.

Cependant, après la touffeur de Vientiane, Paris se révéla pour N bruyant et frustrant. Le dur hiver de 1920 affecta sa santé (un problème cardio-vasculaire) et il partit en convalescence sur la Côte d'Azur. Rétabli, il décida de s'y installer. Il gagnait sa vie comme répétiteur de mathématiques et joueur semi-professionnel de ping-pong, participant aux ligues éphémères de tennis de table qui fleurirent brièvement sur cette côte ensoleillée dans les années vingt.

Et c'est là qu'il écrivit son petit chef-d'œuvre,

Les Analectes de Nguyen N (Monnier, Toulon, 1928), dont je dénichai l'an dernier à Hyères un exemplaire, sa jaquette rouge cerise poussiéreuse et décolorée par le soleil, ses pages non coupées. Une suite de métaphores et d'apophtegmes inspirés, au ton fragile et vigoureux, oscillant dangereusement entre le profond et le banal. « Quelque part la neige tombe doucement, écrit Nguyen au milieu des mimosas et des pins parasols, et j'éprouve encore de la peine. » La traduction ne peut pas vraiment rendre justice à leur délicate sincérité.

Après le succès de ce livre, Nguyen fut adopté par les salons culturels de Paris où il retourna vivre de manière permanente en 1931. C'est un habitué des notes de bas de page de l'histoire littéraire ; le visage non identifié aux tables de cafés, une vague silhouette à la frange de plus d'une mémoire et d'une biographie.

Il écrivit un jour à André Gide qui l'avait agacé à propos de son nom, lequel est assez commun au Laos : « ... Il se prononce unnnnhhhh, effectivement trois syllabes, le h final étant aussi explosif que possible, si vous pouvez imaginer cela. Idéalement, après m'avoir présenté, on devrait être légèrement à court de souffle. »

La guerre apporta la pénurie. Nguyen alla travailler dans les cuisines du plus grand restaurant vietnamien de Paris où il se découvrit un talent pour les garnitures décoratives. Ses œillets en dentelle de carotte, ses lys en échalote et ses roses de navet translucides étaient des œuvres d'art en miniature. Entre ses heures de service, il écrivit sa courte autobiographie, *Comment ciseler les légumes* (Plon et Noël, Paris, 1943 – très rare), qui fut publiée après sa mort.

Nguyen N fut renversé au cours du black-out une sombre nuit de février par un gendarme à bicyclette. Il mourut sur le coup.

La persistance des images

« La persistance des images visuelles est une particularité de l'œil, une capacité qu'il a de remplir les vides entre des instantanés discrets et de les faire paraître parfaitement contigus. C'est le secret de l'animation. »

Murray et Ginsberg,
Dictionnaire du cinéma (1949).

Quatre heures cinq du matin. L'île. Assis sur la terrasse devant ma maison. C'est ce que j'ai essayé de retenir. Ce que j'ai voulu qu'il me revienne spontanément en mémoire de ces trois années. La tendre explosion d'un tas de feuilles sèches. Une gitane à la poitrine nue dansant pour des zouaves. Des serpents orange se déroulant sur les panneaux brillants d'une antique automobile. De gros buissons d'hortensias d'un bleu parcheminé. Un sourire rouge imprimé sur un bout de papier de soie. Un triangle de toast au miel sur une assiette en faïence. Tennis à Sausalito. L'immense lumière couleur d'étain des salines. Les ponts de teck décoloré d'un yacht à moteur. Un rare nuage prisonnier d'une mare où se reflète le ciel.

C'est dans les sentiers du parc ravagé par les rafales d'automne que je la vis pour la première fois. Son petit chien avait fourré son nez dans un amas de feuilles de platane craquantes en fuite et elle tirait furieusement sur la laisse, criant « Mimi, non, allons, vraiment, espèce de monstre impossible ! » de sa voix étonnamment profonde. Mais ce sont ses poignets qui retinrent mon attention tout d'abord et suscitèrent cette curieuse oppression que j'associe toujours à des moments d'intense irritation ou d'intense désir. Ils étaient très minces, avec le nodule osseux particulièrement proéminent tandis qu'elle tirait et retirait sur la laisse en crocodile de la récalcitrante Mimi. Elle était empaquetée contre le froid piquant dans un vieux manteau de tweed vert pomme qui lui battait les chevilles, un châle de cachemire noir et un chapeau mou en feutre, le tout dissimulant son corps, mais la longueur et la minceur de ses poignets pâles, ajoutées à quelques rapides évaluations et calculs – un nez légèrement busqué, des lunettes de soleil d'un bleu outremer opaque, une bouclette auburn – suffirent à me faire perdre toute concentration et à permettre à Gilbert, mon jeune labrador adoré mais d'une ineffable stupidité, de surgir au galop du buisson ou du tronc d'arbre qu'il était en train d'arroser et de se précipiter dans le tas de feuilles de Mimi.

La tendre explosion des feuilles sèches, les jappements terrifiés, les aboiements idiots, les tapes administrées au postérieur doré de Gilbert, les excuses, la pacification de Mimi, s'agenouiller, se relever, pour elle ôter ses lunettes, pour moi débarrasser ma main droite de son gant de peau, le plus bref attouchement de ces minces doigts froids nus (sans bagues !), tout ceci accompli dans une sorte de silence rugissant comme si une moitié de mon cerveau enregistrait toute la tapisserie de fond sonore (les chiens, nos voix, et par-dessus la circulation le coup de klaxon querelleur « qu'est-ce que vous fabriquez, nom de Dieu ? » d'un automobiliste impatient, bloqué par une camionnette de livraison ou bien attendant quelqu'un) tandis que l'autre moitié, comme dans un laboratoire sans poussière et sans ombre, analysait et observait systématiquement. Notant : la capacité de lever un sourcil (le gauche) sans aucun changement d'expression ; la profondeur des creux bleutés dans les ondulations de l'os et de la peau, là où la clavicule s'articulait au sternum sous la gorge ; la bouche large et la parfaite inégalité des dents. Calculant : le moment exact où faire les présentations ; l'échange d'informations toutou. (« Un terrier Norfolk ? Très rare, je crois. » « Norwich, en fait. » « Vraiment ? ») ; l'invitation lancée distraitement juste au moment où, prêts à repartir, on se disait au revoir : « Écoutez, je ne pense pas que vous aimeriez... ? » L'hésitation notable, le coup d'œil sur la grille est du parc, le mouvement déterminé, indépendant du menton et le pincement des lèvres pour supprimer un sourire alors qu'elle acceptait.

Nous nous assîmes à une petite table et, tirant

sur la manche de son manteau par-dessus sa main, elle traça un petit rond dans la buée de la vitre pour regarder les voitures défiler à toute vitesse. Elle commanda du chocolat chaud et fuma une cigarette française. Je pris un jus de pomme et m'efforçai de ne pas éternuer. Elle s'appelait – elle s'appelle – Golo.

Même au mariage, son père ne se donna pas la peine de cacher sa sincère antipathie pour moi. Qu'il ait un gendre beau, jeune, orphelin, riche et indépendant dont la dévotion à sa fille était à la fois profonde et sans équivoque ne semblait pas faire la moindre différence. Je demandai à Golo pourquoi il me détestait. « Oh, Papa est ainsi, dit-elle. Il déteste tout le monde. Ça n'a rien à voir avec le fait que je vous épouse. » J'interrogeai mon meilleur ami et témoin, Max. Le Dr Max réfléchit un moment et répliqua : « C'est évident. Il est jaloux. »

Ce qui, bien entendu, rendait la chose encore pire. Nous nous mariâmes dans une petite église de campagne bourrée de tombes et d'effigies des ancêtres de Golo, à courte distance de la maison familiale. Durant les trois jours précédant la cérémonie, j'eus, enfoncée dans le gosier, comme une épée brûlante qui disparut miraculeusement à l'instant où je prononçai mon « oui », et où je sus que le vieux avait perdu sa capacité de m'effrayer. Je pouvais désormais regarder son visage couturé et hautain, ses cheveux peu épais brillantinés, et les rouflaquettes d'hidalgo distingué qu'il affectionnait, et n'éprouver aucune peur. Je n'étais pas à l'aise, vrai, mais je n'avais plus peur. «Vous pouvez m'appeler Avery, maintenant», dit-il alors que nous nous serrions la main après la cérémonie, mais je ne le fis jamais.

Au cours de la réception, le soulagement me conduisit à trop boire et, me sentant chancelant, je cherchai des toilettes éloignées pour y aller vomir. Je me chatouillai le fond de la gorge avec le bout de ma cravate et vidai mon estomac. Tapotant mes lèvres avec une serviette de toilette et me sentant nettement mieux, je me rendis compte que je me trouvais dans les appartements du père de Golo. La salle de bain était lambrissée d'un bois de merisier sang-de-bœuf, noueux et menaçant. Quantités de jeunes gens sérieux en blazer, assis en rang les bras croisés, me regardaient fièrement du haut de leurs photos sépia. Ici et là parmi les souvenirs encadrés se trouvaient de discrets échantillons d'*erotica* : des gitanes à la poitrine nue jouant du tambourin pour des *zouaves* alanguis; des *peignoirs* entrouverts glissant des épaules lors de *levers** tardifs. Et une photo de Golo, mince et pubescente gamine de quatorze ans.

La pièce sentait le savon au bois de santal et la brillantine coûteuse. Un sanctuaire pour la sorte de masculinité fraternelle et pourtant perverse que je haïssais – la sexualité ivrognasse du vestiaire d'une équipe de foot, le mess des officiers après la tournée de porto. L'observation de Max m'apparaissait à présent d'une pertinence alarmante. Je froissai ma serviette et la jetai dans la corbeille à papier. Il me fallait sortir. J'ouvris la porte.

– Que diable faites-vous ici ? dit son père – Avery.

Il tenait un long cigare, le bout en bas, dans ses cinq doigts.

– Je suis venu dire au revoir, monsieur. (Je lui tendis la main.) On m'a dit que vous étiez dans votre petit salon.

Avery ne fut pas convaincu mais, transférant son cigare, il me serra quand même la main.

– Mais le bal vient seulement de commencer, nom de Dieu !

– Un ferry à prendre.

J'étais debout dans le crépuscule bleu embrumé avec Max, attendant Golo, à côté de la vieille Malvern étincelante qu'un oncle quelconque nous avait donnée en cadeau, nos valises arrimées dans le coffre. Des serpents orange capricieux dansaient sur la carrosserie miroitante, reflets des flambeaux qui brûlaient le long de l'allée.

– Il faut que je la sorte d'ici, m'écriai-je avec un peu d'hystérie. Cet homme est un monstre. Pas étonnant que les sœurs de Golo soient allées vivre avec leur mère.

– Demi-sœurs, rectifia Max. Golo est la fille de la première femme.

– Ah ? Je ne l'ai pas vue ici, celle-là.

– Elle s'est suicidée quand Golo avait cinq ans.

– Bon Dieu. Comment le sais-tu ?

– J'ai parlé à un cousin, à l'intérieur.

Max me tendit une petite boîte en argent. Je soulevai le couvercle : elle était pleine de pilules rondes anonymes.

– Mon cadeau de mariage, dit Max. Je ne les prescris que rarement. Il faut avoir un cœur exceptionnellement solide, mais elles sont garanties faire pétarader ton voyage de noces.

Nous nous embrassâmes et je perçus un relent des pastilles de menthe que Max utilisait pour adoucir son haleine.

– Où est cette fille ? criai-je, la voix rauque d'émotion.

Max se pencha dans la Malvern et joua un air entraînant sur le klaxon, superflu puisque Golo vêtue, dans la mesure où mes yeux embrumés pouvaient en juger, d'un costume pailleté de matador surgit sur le seuil et parut se déverser lumineusement du perron dans mes bras.

Nous passâmes notre lune de miel dans ma petite maison sur l'île. J'avais fait repeindre l'extérieur de bardeaux en un jaune citron crémeux pour mieux contraster avec le vert bouteille réglementaire exigé par les bureaux du maire. De gros buissons d'hortensias d'un bleu nuageux ourlaient le sentier sablonneux menant à la plage. Au-delà de la baie argentée, j'apercevais la bande sombre du continent. Un yacht solitaire avançait lentement vers l'est. Dans une minute la composition serait parfaite. Je mourais d'envie d'avoir mon carnet de croquis sous la main.

Image. Golo assise sur la cuvette des toilettes, sa jupe remontée sur les hanches, ses chevilles emprisonnées par sa culotte incroyablement transparente. Ses longues cuisses repliées, les genoux joints, ses chaussures du soir en satin touchant à peine ses talons, car elle est assise sur la pointe des pieds, tel un jockey montant un pur-sang. A ceci près que ce jockey-là est en même temps en train de se peindre les lèvres en vermillon sans l'aide d'un miroir. Elle pince les lèvres, fait la moue et se tourne pour m'offrir son meilleur faux sourire.

– Mmm?
– Parfait. Je ne sais pas comment tu te débrouilles.

Elle déchire un bout de papier hygiénique et y imprime ses lèvres. Soigneusement plié, il accomplit ce à quoi il était destiné plus bas, avant que la culotte soit hissée aux genoux et que Golo se relève alors dans un large mouvement bruissant de crêpe. La vision, une milliseconde, de la raie des fesses avant que le rhabillage soit achevé, le bouton de chrome pressé et la cuvette vidée.

– Pourquoi as-tu abandonné la faculté de médecine? demande-t-elle tout à trac, vérifiant son visage impassible dans le miroir.

Son petit doigt caresse chaque commissure de ses lèvres.

– Comment? Parce que je voulais être peintre.

– Ne peut-on pas être à la fois médecin et peintre?

– Je ne peux pas.

– Et ton ami, alors? Il est médecin et des tas d'autres choses.

– Max? Mais Max est un homme de la Renaissance. Je ne peux pas concurrencer Max, pour l'amour du ciel.

– Pourrions-nous acheter un yacht?

– Bien sûr. Mais pourquoi diable?

– Je crois que j'ai envie d'apprendre à faire de la voile. Où allons-nous ce soir?

– Chez la Maharani.

– Quelle barbe.

Je regardais Max tailler en dés les gousses d'ail. Chaque gousse était pelée, coupée en deux dans le sens de la longueur puis posée à plat et maintenue du bout d'un doigt sur la planche à découper où, avec un couteau très fin, elle était tranchée verticalement en éventail, puis tournée à angle droit et tranchée à nouveau, en petits cubes nets. Ce qui restait sous le doigt était écarté.

– Pourquoi n'utilises-tu pas un pressoir?

– Ça n'a pas le même goût.

Nous étions dans son appartement sur jardin de Kensington, non loin d'un des hôpitaux où il donnait des consultations. Il me préparait à dîner – des coquilles Saint-Jacques. A l'huile et à la tomate. Sa cuisine était à la fois efficace et pittoresque. Grandes surfaces de travail, quantités d'étagères et d'égouttoirs regorgeant de casseroles et, pendus ici et là, des jambons, des saucissons, des piments, des chilis, de l'ail. Inutile de dire que Max était un cuisinier accompli et qu'il aimait que ses plats soient savoureux.

– Merci pour mon tableau, dit-il.

– C'est la vue depuis le salon.

– Je sais.

Il s'approcha pour aller regarder de près le tableau qu'il avait placé sur un buffet en pin.

– Tu as changé les hortensias ou bien s'agit-il d'une liberté artistique?

– Bonne mémoire. Quand étions-nous là?

– Merci. Il y a deux étés. Est-ce l'*Héliotrope*?

– Quoi?

– Le yacht que je barrais à l'Université. Tu te rappelles, tu nous as rencontrés une fois à Juan-les-Pins. Un problème avec le spinnaker. C'est une gentille attention. Merci.

– Ce n'est qu'un yacht, je crains. Ça ne fait pas trop d'ail?

Il leva son couteau en manière d'avertissement:

– Il ne peut jamais y avoir trop d'ail.

Il fit glisser de la planche dans la poêle l'ail qui éclata et grésilla dans l'huile bouillante.

– Comment va Golo ? s'enquit-il.

– Merveilleusement.

Plus tard, au moment du fromage, il dit :

– Ne te formalise pas de mon propos, vieux, mais ne laisse jamais une femme seule trop longtemps.

– Bon Dieu, je ne suis absent qu'une nuit. Il fallait que je voie les administrateurs du trust.

– Je ne parle pas d'aujourd'hui. Les femmes s'ennuient beaucoup plus vite que les hommes.

– Qui dit ça ?

– C'est un fait médical très connu. Goûte un peu de cette gelée de prunes avec ton fromage. C'est simplement ce que m'a dit un jour un vieux Lothario.

Golo est étendue sur le côté, sur le lit, nue. Je suis sur le seuil de la porte de la salle de bain, douché, épuisé, heureux. Appuyée sur un coude, elle lit un journal dominical populaire et rit toute seule à ses absurdités. A côté d'elle, sur une assiette de faïence que j'ai achetée à Saint-Martin, un triangle de toast au miel. Par la fenêtre, je vois le soleil sur la baie et ce yacht obligeant escorté des deux ou trois mouettes obligeamment de service. Sans lever les yeux, Golo cherche du pied sur le lit le carré de soleil qui lui réchauffait le flanc voici un instant. Elle le trouve et octroie à son pied un bain de soleil pendant qu'elle lit, tend la main vers son toast et mord dedans.

– Pourquoi achètes-tu ce torchon? Les choses qu'on y raconte…

– Je ne le prends que pour les bandes dessinées.

Je crois que je dois être l'homme le plus heureux du monde.

– Tu parles!

La première année, nous voyageâmes. Je louai la maison de Carlyle Square à un diplomate brésilien et nous allâmes vers l'Orient, en Inde, à Ceylan, en Thaïlande. Nous passâmes l'hiver avec l'amie d'enfance de Golo, Charlotte, et son mari, Didier Van Breuer, à Sydney, en Australie. Le printemps nous trouva dans une petite maison à Sausalito, sur une autre baie, plus vaste. L'exposition de mes gouaches indiennes dans une galerie de Broome Street remporta un modeste succès. Golo acquit un second service d'une étonnante puissance. Nous ne fûmes jamais séparés une seule nuit.

Je sentais une présence physique dans mes entrailles, comme une pierre logée entre mon foie et mon pancréas. Le regard fixé au-delà des arbres sombres de Carlyle Square, je conclus toutes sortes de marchés avec quantité de divinités.

Max surgit de la chambre, passant ses mains dans ses cheveux qui grisonnaient étonnamment vite, notai-je Dieu sait pour quelle raison. Il me parut plus fatigué que moi.

– Détends-toi, dit-il. Je ne suis pas gynécologue mais à mon sens ta femme est enceinte.

J'ai un fils. Il s'appelle Dominic. Il braille avec rage, il crie, il hurle. Odette, sa nurse, l'emmène dans sa chambre. Je caresse le visage de Golo avec mes jointures.

– Bienvenue à la maison, dis-je, et je sors de ma poche la bague que j'ai fait faire avec une émeraude achetée à Bangkok.

Golo la glisse à son doigt.

– Elle réussit à dire « je t'aime » avant de fondre en larmes, je récite en me moquant tendrement d'elle.

Elle me serre contre elle.

– Tu es si gentil, déclare-t-elle, et je t'aime.

Didier Van Breuer à dîner à Carlyle Square. Il nous annonce qu'il divorce de Charlotte. Je quitte la pièce quand un messager se présente à la porte d'entrée et, à mon retour, Van Breuer, penché sur son assiette, sanglote. Tout ceci est trop terriblement triste.

L'été revint et nous ouvrîmes la maison sur l'île. La nouvelle annexe pour Odette et Dominic se mariait parfaitement au reste de la demeure. Odette – une grande fille, pleine de verrues – se révéla aussi compétente cuisinière que nurse. En une semaine nous eûmes droit à des *oursins à la provençale**, des côtelettes de veau marinées garnies de ratatouille, du *poulet** farci à l'ail, des *pieds de porc à la lyonnaise**, du foie aux oignons. Délicieux, mais trop riche pour moi. Je me sentais le foie surchargé, la gorge salée, les sinus âcres et herbeux même le lendemain. Je jeûnai vingt-quatre heures, ne buvant que de l'eau distillée et souffris une nuit de transpiration qui chassa Golo du lit.

– On doit puer comme un campement de gitans, lui lançai-je le jour où je commençai à me sentir mieux. Dis à Odette de se limiter à des salades pour le reste de l'été.

Odette s'en tint là en gros, même si de temps à autre un ragoût ou autre fricassée trop odorante arrivait sur la table, et on se serait cru de nouveau dans une trattoria napolitaine.

Je trouvais difficile de peindre dans la maison maintenant que sa routine tournait autour des besoins bruyants de Dominic plutôt que des miens. J'essayais de produire assez de travail pour une exposition qu'un de mes amis, propriétaire d'une petite galerie rue Jacob, organisait aimablement pour moi et donc, la plupart du temps, je chargeais mes paniers avec peintures et pinceaux sur ma bicyclette et je partais pour différents coins de l'île non envahis par les touristes ou les vacanciers, ne retournant à la maison qu'à la tombée du soir. Je découvris un endroit surplombant les salines qui promettait de resplendissants espaces d'eau et de ciel. J'adorais les salines et leur étrange poésie d'assèchement, mais la série d'aquarelles que je produisis là-bas, quoique réussie, avait une simplicité désolée qui paraissait un peu répétitive.

C'est donc, au contraire, à la recherche de foule et d'activité que je m'aventurai non sans réticence dans un des petits ports pour y dresser mon chevalet au bord de la marina. Mais, après la sérénité des salines, je trouvais rebutante la présence des badauds curieux regardant par-dessus mon épaule et, pour être franc, ma technique s'avérait défaillante à reproduire la masse mouvante des yachts, bateaux à moteur, et autres youyous entassés entre les quais et les jetées.

J'étais assis là un matin, ayant déchiré mon premier essai, me demandant vaguement si je prendrais la peine d'aller voir des Dufy que je savais exposés dans une galerie provinciale à guère plus d'une demi-journée de voiture, quand mon attention fut attirée, sur la périphérie, par la silhouette d'un homme, mince, en pantalon de toile blanche et chandail bleu marine, dont je fus persuadé qu'elle m'était familière. Vous savez comment un jugement instinctif peut se révéler bien plus sûr qu'une étude prolongée : un coup d'œil est souvent plus précis qu'un regard appuyé. J'étais étrangement certain d'avoir vu quelqu'un que je connaissais et, n'ayant rien sur mon chevalet pour me retenir, je me levai pour aller tranquillement voir de qui il s'agissait.

Didier Van Breuer était installé sur la terrasse ensoleillée du restaurant avec, devant lui, un petit verre de cognac et un *caffelatte*. Il ne portait pas de chemise mais un sweater de coton bleu marine et un foulard rouge noué autour du cou. Il paraissait changé depuis notre dernière rencontre, plus vieux, plus émacié. Il ne parut pas surpris de me voir (il savait que je passais l'été sur l'île, dit-il), mais je fus content de découvrir que mon instinct et ma vue n'avaient rien perdu de leurs perspicacité et acuité habituelles. Il se montra cordial sans rien de cette réserve que je lui avais toujours connue.

— Où loges-tu ? m'enquis-je.

Il montra du doigt dans le port un énorme bidet de yacht avec une seule haute cheminée (jaune rayé de magenta). L'équipage lavait les ponts de teck décoloré, les cales vomissaient de l'eau brune. Il était seul, me raconta-t-il, accomplissant une paresseuse et interminable croisière estivale pour essayer d'oublier Charlotte et sa grotesque trahison (elle vivait avec le fils de Didier). Je l'invitai à dîner pour le soir même (j'avais vu Odette vider une boîte entière de cumin dans un ragoût de homard) mais il refusa, expliquant qu'il partait un peu plus tard pour les Açores. Il but son verre et nous déambulâmes jusqu'au quai où se trouvait son yacht (son pantalon était bleu pâle, remarquai-je en souriant en mon for intérieur ; aussi vigilant soit-il, le coin de votre œil ne peut pas prétendre à vingt sur vingt de vision). Il avait changé le nom de *Charlotte III* en *Clymène* qui, m'expliqua-t-il avec une âpre ironie, était la maîtresse du soleil. Il me convia à bord et nous arpentâmes les grands salons vides en fumant des cigares, le cul tiède d'un verre à cognac enserré dans ma paume droite. Je me sentis triste pour Didier, avec sa richesse inutile et le luxe sans joie de son existence et me sentis triste moi-même car le bateau me rappelait le *Vergissmeinnicht,* la vieille goélette de Pappi, et mon enfance perdue. Il y avait un très bon Dufy dans la salle à manger et je saisis l'occasion de prendre quelques notes et de faire un ou deux croquis pendant que Didier montait donner un coup de téléphone.

Nota bene : A me remémorer : la sereine beauté rosacée du crépuscule tandis que je rentrais à la maison en bicyclette, un peu ivre, un nuage rare prisonnier à la surface d'une mare reflétant le ciel. A me remémorer : mon sentiment presque insupportable de bonheur.

Quatre heures du matin.

Je suis seul sur la terrasse de ma petite maison, regardant à l'est au-delà de mes hortensias bleus vers le continent, attendant le lever du soleil. Je me demande combien de gens sur ce continent sont aussi misérables que je le suis.

Le petit mot de Golo était bref. Elle nous quittait, moi et notre enfant. Elle ne m'aimait plus. Il y avait un autre homme dans sa vie dont elle refusait de révéler l'identité pour l'instant. Je ne devais pas partir à sa recherche. Elle reprendrait contact avec moi en temps voulu. C'était le seul moyen. Elle n'avait pas besoin de mon argent. Elle demandait que je lui pardonne et que je comprenne, et espérait, pour l'amour de Dominic, que nous resterions amis.

Odette expliqua simplement que durant la journée Madame avait reçu et donné de nombreux coups de téléphone, qu'elle avait fait une valise et que, vers quatre heures, elle avait entendu le taxi klaxonner dans l'allée. Elle allait rendre visite à sa famille, avait-elle dit à Odette ; elle avait laissé un mot pour moi puis était partie.

Je ne perdis pas de temps. Je refilai aussitôt en voiture sur le port où bien entendu il n'y avait plus trace du *Clymène*. En route pour les Açores ou Dieu sait où. Je retournai chez moi (et non plus chez nous) et versai quelques chaudes larmes

de rage et de frustration sur le berceau de mon fils
(mon fils et non plus notre fils), jusqu'à ce que je
finisse par le réveiller et qu'il se mette à brailler
lui aussi. Je bus une demi-bouteille de Pernod puis
repris la voiture et le ferry pour gagner le continent. Je passai une heure à chercher en vain une
«Vénus des carrefours», comme Pappi les appelait, tout en sentant le besoin de revanche m'aban-
donner peu à peu. Vers minuit, du côté des docks,
dans un bar suréclairé, je payai sans conviction
un certain nombre de verres à une grosse femme
aux cheveux courts et au chandail étroit, avant
de me dégonfler. Sur le dernier ferry qui me rame-
nait dans l'île, un jeune barbu jouait un genre de
musique hawaïenne à la guitare.

Le ciel blanchit, un bleu très pâle tournant au
citron, mon regard mort observant la magnifique
transformation sans s'émerveiller. Je dois réfléchir,
je dois clarifier mes pensées. Le mari trahi est toujours le dernier à savoir, dit-on. Didier Van Breuer.
A Sydney, en Australie, nos amis riaient-ils tous
derrière mon dos, cet hiver-là ? Qu'est-ce qui a
poussé Didier à venir chez nous annoncer son
divorce ? Qu'est-ce qui l'a fait soudain s'effondrer
au milieu du déjeuner ? Quels propos avaient été
échangés pendant mon absence de la pièce ? Pour
mettre fin à ce torrent de questions sans réponses,
je m'oblige à penser à Encarnación, une Mexi-

caine que j'ai brièvement aimée et que j'ai un jour songé à épouser. Chère, souple Encarna, une sorte d'ex-athlète, course de haies ou natation. Si différente de Golo. Je repense à un repas que nous avons fait à New York, au sud de Greenwich Village, où elle m'a tendrement persuadé de manger une salsa horriblement épicée de sa province natale, qui m'a fait monter les larmes aux yeux et m'a obligé à sucer des pipermints durant des jours.

C'est ce que je dois retenir. Ce sont là les fragments que je dois préserver de ces trois dernières années. La tendre explosion d'un tas de feuilles. L'avertisseur querelleur, « qu'est-ce que vous fabriquez, nom de Dieu ? », d'un automobiliste contraint à l'attente. L'odeur des pastilles de menthe. Un yacht solitaire sur une baie argentée. Le découpage impeccable d'une gousse d'ail. Les arbres sombres de Carlyle Square. *Oursins à la provençale.* La silhouette d'un homme mince en pantalon blanc et sweater bleu marine. Une boîte de cumin. Un taxi qui klaxonne dans l'allée. Une salsa fortement épicée qui m'a obligé à sucer force pipermints des jours durant.

Déjeuner

DATE : lundi.

LIEU : *Le Truc intéressant*, Lexington Street, Soho.

PRÉSENTS : moi, Gerald Vere, Melanie Swartz, Peter (Quelque chose) de la Svenska Bank, Barry Freeman, Diane Skinner (resp. budget chez SLL & L), Eddie Kroll (s'est tiré avant le dessert).

MENU : taboulé chinois, roulade de foie de veau farcie, millefeuille de fruits d'hiver.

BOISSONS : deux Moet et Chandon non millésimés, deux sancerre, un Pichon-Longueville 1983, un gros rouge provençal dit Mas Julienne. Porto, cognac (eau-de-vie de prune pour Diane S.).

ADDITION : £ 678, service non compris.

EN SUPPLÉMENT : Romeo y Julietas pour Vere et Freeman, T-shirt et service à condiments-souvenir pour Melanie ; un paquet de Silk Cut pour Diane S.

COMMENTAIRES : pas de musique au mètre. Le taboulé chinois, un taboulé orthodoxe agrémenté de rondelles de lychees. Inhabituel. Roulade de foie exquise, servie sur une petite purée de céleri. Diane S. n'a touché qu'à peine à sa nourriture, « se réservant pour le dessert ». Millefeuille : 8/10 pour le feuilleté. Fruits insipides. Diane S. a payé l'addition. M'a ramené en taxi aussi. Merci Swabold, Lang, Laing et Longmuir. Merci beaucoup.

DATE : mardi.

LIEU : Eurotel Palace, aéroport de Heathrow.

PRÉSENTS : moi, Diane S.

MENU : salade tricolore, sole meunière, tarte aux pommes.

BOISSONS : gin-tonic au bar, chardonnay Merry Dale, champagne maison avec le dessert.

ADDITION : £ 96 (service compris).

SUPPLÉMENTS : irish coffees servis dans notre chambre. £ 5.50 chaque. Un paquet de Silk Cut.

COMMENTAIRES : muzak pratiquement inaudible. Mozarella caoutchouteuse. Quand donc les Anglais cesseront-ils de servir «un choix de légumes en garniture»? Carottes sans goût, brocoli lavasse, un genre de navet. La tarte aux pommes : une simple tourte, pas flattée par sa traduction. Le champagne maison étonnamment bon – petites bulles, plaisant, nerveux. Irish coffees non consommés – gaspillage...

DATE : mercredi.

LIEU : l'ensemble salle à manger du Président, sixième étage. Lambris de chêne clair. Argenterie. Bons tableaux – un petit Sutherland parfait, un Alan Reynolds, deux Craxton.

PRÉSENTS : moi, Sir Torquil, Gerald Vere, Barry Freeman, Blake Ginsberg (nouveau dir. général), une huile du dép. Finances (présenté comme «Vous connaissez Lucy...» – c'est tout de même pas son prénom? Très étranger d'allure).

REPAS : terrine de légumes, côtelettes d'agneau pommes de terre nouvelles, framboises à la crème, stilton.

BOISSONS : un coup de gnôle dans les toilettes en bas, vodka-martini (aurait pu être plus glacée), un très bon chablis suivi d'un Domaine du Chevalier 78 (étonnant). Porto (Taylor's, pas remarqué la date).

ADDITION : très lourde.

SUPPLÉMENTS : au moins j'ai vu le Sutherland.

COMMENTAIRES : A part la terrine de légumes (une immanquable et totale perte de temps), de la supérieure cuisine d'entreprise. Raisonnable. L'agneau agréablement rose. Vin superbe. On a eu la grâce d'attendre jusqu'au fromage. Le condamné a eu droit à un solide repas. Foutu salaud de putain de cochon sans cœur.

DATE : jeudi.

LIEU : *La Casa del Luigi*, Fulham Road.

PRÉSENTS : moi, Diane, et (plus tard) Jennifer.

MENU : minestrone, spaghetti bolognaise, tiramisù.

BOISSONS : gin-tonic, valpolicella, remplacé par un chianti après avoir été renversé. Double grappa après l'arrivée et le départ de Jennifer.

ADDITION : £ 63 arrondie à 80. Maigre gratitude.

SUPPLÉMENTS : Un paquet de Silk Cut. Trois verres, deux assiettes. Facture teinturier à venir.

COMMENTAIRES : Le minestrone était en conserve, j'en jurerais. Les spag. bolog. d'Alfredo étonnamment authentiques comme toujours (pourquoi ne peut-on jamais les réussir de la sorte chez soi ?). Il refuse de divulguer son secret mais je suis sûr que ça tient aux foies de volailles dans le *ragù*. Qui doit mijoter des jours entiers, aussi. Un vieux tiramisù liquide. Grosse erreur que de déjeuner si près de la maison. ÉNORME erreur. Jennifer aurait dû passer sans s'arrêter. Quel est le salaud de garçon qui l'a appelée à l'intérieur ?

DATE : vendredi.

LIEU : le *Montrose Dining Club*, Lincoln's Inn. Sous-sol, grande salle suréclairée, longue table centrale. Personnel composé de très vieux ex-portiers de collège et de très jeunes filles monoglottes qui semblent originaires de l'Europe de l'Est.

PRÉSENTS : moi, Alisdair Lockhart.

REPAS : Terrine de crevettes et toasts, canard à l'orange, tarte au sirop (!).

BOISSONS : G & T, bordeaux maison, cognac maison.

ADDITION : £ 18. (J'ai réglé. Surprenant rapport qualité prix. Alisdair a proposé de l'inclure dans sa note d'honoraires, mais j'ai insisté pour payer.)

SUPPLÉMENTS : environ £ 5 000 si je connais bien mon Alisdair.

COMMENTAIRES : voyage dans le temps. Retour au pensionnat. Ceci était la cuisine anglaise jusqu'à récemment, on a oublié que c'était ainsi que nous mangions tous. Consommant de la terrine de crevettes comme du beurre sur des toasts mous. Du canard cuit à mort, une sauce écœurante, répugnante. J'ai commandé de la tarte au sirop par pure nostalgie. (Alisdair souffre vraiment d'abominables pellicules pour un type relativement jeune.) J'ai dit que Jennifer se montrait très difficile, jusqu'ici. Il n'a pas fait preuve de beaucoup d'optimisme. Il a demandé si ça s'était déjà passé avant, alors je lui ai parlé de l'ultimatum de Jennifer. Ai mentionné brièvement la garde de Toby. Il est parti tôt car il devait se rendre au tribunal. Déprimant. Ai bu du whisky dans un pub irlandais.

DATE : samedi.

LIEU : ma cuisine, Rostrevor Road, Fulham.

PRÉSENTS : moi et (de façon intermittente) Birgitte, l'au-pair.

MENU : ai pillé le frigo – *cottage cheese* et Craquottes, restes du hachis parmentier de jeudi, quelques-uns des petits trucs au yaourt de Toby, des triangles de fromage. Birgitte a commandé une pizza, mais je n'avais pas envie d'attendre.

BOISSONS : « Trois doigts de gin, une tranche de citron et trois décilitres de tonic... » Qui a dit ça ? Puis deux verres de pinot Grigio, avant de descendre au sous-sol dégoter le Ducru-Beaucaillou. Et merde ! J'en ai donné un peu à Birgitte qui a fait la grimace. Elle a préféré sa propre bière. Dont elle m'a refilé une boîte quand j'ai eu fini le Beaucaillou. Un solide remontant. J'ai dormi tout l'après-midi.

ADDITION : la condition humaine.

SUPPLÉMENTS : Toby et Jennifer me manquent. Notre habituel déjeuner du samedi me manque. Le meilleur déjeuner de la semaine.

COMMENTAIRES : musique – le trio pour instruments à vent de Brahms pour commencer, mais ça m'a donné envie de pleurer. Birgitte a mis quelque chose de rythmé, de folklo. Elle m'a passé un enregistrement de vagues se brisant sur une plage océanique. « Pour calmant », m'a-t-elle dit. Grosse bonne fille. Comment peut-on manger du *cottage cheese* ? De quoi, en termes de goût et de texture, peut-il se recommander ? Jennifer et ses stupides perpétuels régimes. Idéalement mince, idéalement... Les Vache-qui-rit étaient incroyablement goûteuses, j'en ai dévoré une boîte entière tout en descendant le Beaucaillou.

DATE : dimanche. Froid, ciel bas, nuages en masse, une lumière terne, morne.

LIEU : quelque part dans l'est de l'Angleterre sur le 11 heures 45 pour Norwich. J'écris ceci au bar. En route vers ma mère et le déjeuner dominical.

PRÉSENTS : moi, trois soldats, une grosse dame et un petit homme à gueule de fouine armé d'un téléphone portable.

MENU : ai commencé avec un hamburger dans le hall de la gare, puis deux *scotch eggs* au bar. Dans le train, j'ai acheté un paquet de chips et un sandwich œuf-cresson au vendeur ambulant. Au buffet, j'ai mangé jusqu'ici un pâté en croûte, un feuilleté à la saucisse, un truc baptisé « la brioche du paysan » et un Mars. Il y a une omelette aux champignons et salami solitaire enveloppée de Cellophane, qu'ils offrent de réchauffer au micro-ondes. Pourquoi ai-je encore faim ?

BOISSONS : double vodka-orange au bar de la gare – vague et très fugace désir de ne pas sentir l'alcool. Deux canettes de gin et vermouth italien dans le train avant de me diriger vers le buffet. Me suis mis à la Lager : « *Speyhawk special strength* ». Je remarque que les trouffions boivent la même. Je vois qu'on vend des quarts de bouteille de vin ici. J'en achète deux après avoir commandé l'omelette. C'est étiqueté « Vin rouge ». Pas de pays d'origine. Âpre, piquant, rugueux. Je crains qu'il ne me tache les lèvres. Maman me servira comme d'habitude du moselle qu'elle appellera vin du Rhin.

ADDITION : je refuse de dépenser plus de £ 20.

SUPPLÉMENTS : une quantité de fumée de cigarettes. Tout le monde fume y compris le type derrière le bar. La fumée monte entre les doigts de sa main mal repliés sur ses fesses. La grosse dame fume. L'homme au téléphone portable fume tout en marmonnant dans sa petite boîte en plastique. J'ai un goût métallique dans la bouche et je suis brusquement saisi de la très amère vision de Diane S. nue, en train de rire.

COMMENTAIRES : La campagne anglaise n'a jamais paru aussi exsangue, morte, sous ce ciel oppressant couleur d'étain. Le barman me fait signe... Me voilà avec mon omelette aux champignons et salami, d'un jaune bigarré de taches brunes, d'où émane une vapeur suspecte : une odeur curieuse, faisandée, mais indéniablement de cuisine, semble soudain avoir envahi le compartiment, oblitérant complètement les autres. Tout le monde me regarde. Je dévisse la capsule de mon « Vin rouge » et en remplis mon verre tandis que nous fonçons à travers le Norfolk. Un jet de sucs gastriques. Je meurs de faim, comment est-ce possible ? Ma mère m'aura préparé l'archétype d'un déjeuner dominical anglais. Un rôti, cuit à en être gris, des pommes de terre et deux ou trois légumes, un lac de sauce, fromage et biscuits, sa soupe anglaise spéciale. Je contemple par la fenêtre les kilomètres de verdure sombre. La pluie crachote sur la vitre et les soldats se sont mis à chanter. Le moment est venu pour mon omelette. Je sais ce que je fais mais ceci est un mauvais signe, le commencement de la fin. Je m'apprête délibérément à gâter (parce que, soyons francs, on ne peut pas avant un déjeuner déjeuner) le déjeuner.

Du liège

« *O homem nao é um animal*
E uma carne inteligente
Embor as vezes doente. »

(Un homme n'est pas un animal;
C'est de la chair intelligente
Encore que parfois avariée.)

Fernando Pessoa

Je m'appelle Lily Campendonc. Il y a très longtemps, j'ai vécu à Lisbonne.

J'ai vécu à Lisbonne entre 1929 et 1935. Une
ville superbe, mais mélancolique.

Boscán, Noël 1934 : « Nous n'aimons jamais
personne. Pas vraiment. Nous n'aimons que notre
idée d'un autre. C'est une conception de nous
que nous aimons. Nous nous aimons nous-même,
en fait. »

– Mrs Campendonc ?
– Oui ?
– Pourrais-je vous dire un mot en privé ? En
toute discrétion ?
– Bien entendu.
Il refusait de me dire ce mot au bureau et nous
quittâmes donc l'immeuble pour nous acheminer

le long de la rue Serpa vers l'Arsenal. Il faisait sombre, nous avions travaillé tard, mais la nuit était chaude.

— Par ici, je vous prie. Je pense que ce petit café conviendra.

J'acquiesçai. Nous entrâmes et nous assîmes à une petite table au fond. Je commandai un café et lui un verre de *vinho verde*. Puis il décida d'aller chercher les consommations lui-même et se dirigea vers le bar. Je le vis debout au comptoir avaler très vite un cognac, d'une seule lampée.

Il rapporta les commandes et s'assit.

— Mrs Campendonc, je crains d'avoir de mauvaises nouvelles.

Ses traits fins, tendus, demeuraient impassibles. Il rajusta son nœud papillon sans qu'il en fût besoin.

— Et de quoi s'agit-il?

Je résolus de demeurer tout aussi calme.

Il s'éclaircit la gorge, leva les yeux au plafond tacheté et sourit vaguement :

— Je suis obligé de démissionner, dit-il. Je vous donne donc un mois de préavis.

J'essayai de ne pas montrer ma surprise. Je fronçai les sourcils :

— Voilà une très mauvaise nouvelle, senhor Boscán.

— Je crains de ne pas avoir eu le choix.

— Puis-je vous demander pourquoi?

— Naturellement, naturellement, vous en avez tout à fait le droit.

Il réfléchit un moment, sans rien dire, traçant avec le fond de son verre des cercles humides sur le bois brun récuré de la table.

– La raison..., commença-t-il, et si vous voulez bien me pardonner, je serai entièrement franc, la raison c'est que – et là, il me regarda droit dans les yeux – c'est que je suis très amoureux de vous, Mrs Campendonc.

Le liège

« *Le matériau dont traite cette monographie présente un intérêt double à cause de son mystère bien gardé qui n'a jamais été percé jusqu'à donner au monde une histoire du liège absolument complète. Le mystère ne tient pas à son utilité ni à ses usages ordinaires, ceux-ci étant fort connus, mais plutôt à sa composition chimique, et à son extraordinaire et fascinant caractère.* »

(Rapport du consul Schenk
sur la fabrication du liège.
Leipzig, 1890.)

Après la mort de mon mari, John Campendonc, en 1931, je décidai de rester à Lisbonne. J'en savais assez quant à l'affaire, me dis-je, et en tout cas je ne pouvais pas supporter l'idée de retourner en Angleterre et dans la famille de mon époux.

Il m'avait légué par testament la compagnie – la

Campendonc Cork Company Ltd – avec instruction de continuer à la faire marcher sous le même nom ou bien alors de la vendre. Je pris ma décision et rassurai ceux parmi les parents de John qui tentèrent avec persévérance de me convaincre que je ne savais pas exactement ce que je faisais ; d'ailleurs, senhor Boscán serait toujours là pour m'aider.

Je devrais d'abord vous parler un peu de John Campendonc, je suppose, avant de poursuivre avec Boscán.

John Campendonc, un Anglais petit et solide, très clair de teint, des cheveux blonds fins se raréfiant sur le front, avait dix-sept ans de plus que moi. Et un corps bien musclé, avec tendance à grossir. Il m'attira dès notre première rencontre. Il n'était pas beau – avec ses traits bizarrement de guingois –, mais il dégageait une vigueur contagieuse qui marquait chacun de ses faits et gestes. Il lisait vigoureusement, par exemple, penché au-dessus de son livre ou de son journal, le sourcil froncé, tournant et lissant les pages d'un mouvement vif de la main et d'un claquement de la paume. Il marchait n'importe où à toute allure, en général la main gauche profondément enfoncée dans la poche de sa veste tandis que de sa main droite il lissait ses cheveux en arrière en une succession de rapides caresses. Ses vestons étaient par conséquent toujours déformés du côté gauche, la poche gonflée et bosselée, parfois déchirée, la tension permanente sur les coutures se révélant trop forte. De sorte qu'il usait trois ou quatre costumes par an. Peu avant sa mort, je découvris un tailleur, rue Garrett, qui accepta de lui faire un complet avec trois vestes identiques. Et donc, pour ses quarante ans, je lui offris un assortiment de costumes – flanelle, tweed et coutil – composé de trois pantalons et neuf vestes. Il s'en amusa beaucoup.

Je garde de lui une forte et émouvante image. C'était deux semaines environ avant sa mort et nous étions descendus à Cascaes nous baigner et pique-niquer. L'après-midi s'achevait et la plage était déserte. John se déshabilla et courut tout nu dans l'eau, plongeant sans effort dans les déferlantes. Je ne savais – et ne sais toujours pas – nager; je restai donc assise sur le marchepied de notre automobile, fumai une cigarette et le regardai s'ébattre dans les vagues. Il finit par sortir et remonta de la plage à grands pas en secouant l'eau de ses mains.

– Glacial! cria-t-il de loin. Glacial, glacial, glacial!

C'est ainsi que je me le rappelle, confiant, plein de santé et bruyant dans sa nudité. Son large torse, son visage clair ouvert, ses jambes épaisses assombries par ses poils lisses mouillés, ses testicules crispés et rétrécis par le froid, son pénis un moignon blanc tendu. Je ris et désignai du doigt son bas-ventre. Une chose aussi minuscule, dis-je en me moquant. Planté sur place, les mains sur les hanches, il s'efforça de prendre un air offensé. Bien assez grande pour toi, Lily Campendonc, répliqua-t-il avec un sourire, attends un peu de voir !

Deux semaines et deux jours après son cœur s'arrêtait et il mourait, parti à jamais.

Pourquoi vous parler autant de John Campendonc ? Pour aider à expliquer Boscán, je crois.

« *Le chêne-liège n'échappe nullement à la maladie et aux infections ; bien au contraire il en a sa pleine part, ce qui soucie les producteurs plus que l'obtention d'une texture parfaite. A moins de très grands soins, toutes sortes de maux peuvent corrompre et affaiblir le liège et empêcher ce remarquable matériau d'atteindre son plein potentiel.* »

(Rapport du consul Schenk.)

Agostinho da Silva Boscán m'embrassa une semaine après sa démission. Il accomplit son mois de préavis scrupuleusement et consciencieusement. Chaque soir il venait dans mon bureau faire son rapport sur les affaires de la journée et me présenter lettres et contrats à signer. Ce soir-là, je m'en souviens, nous relisions une plainte adressée à un producteur de liège d'Elvas – jusque-là de toute confiance – dont les plaques s'étaient révélées constellées de trous de fourmis. Boscán se tenait debout à côté de ma chaise, sa main droite à plat sur le revêtement de cuir du bureau, l'index glissé sous la première page de la lettre, prêt à la tourner. Lentement et régulièrement, il traduisait le portugais dans son anglais impeccable. Il faisait chaud et j'étais un peu fatiguée. Je ne me concentrais plus sur sa voix aux sonorités monotones. Mon regard abandonna la lettre pour se fixer sur sa main, à plat sur le bureau. Je vis sa couleur brun pâle, pareille à du café au lait, les poils noirs brillants entre les jointures et la première phalange des doigts, l'éclat nacré de ses ongles... le bord mou de sa manchette qui commençait à s'élimer... Je sentis émaner de lui le vague parfum musqué – farineux et douceâtre – de sa lotion capillaire, mélangé à sa propre odeur, aigre et salée... Son costume était trop lourd, son unique costume, en serge bleue brillante râpée, fait à Madrid, m'avait-il dit, trop chaud pour une nuit d'été à Lisbonne... Je respirai doucement et mes narines s'emplirent de l'odeur d'Agostinho Boscán.

— Si vous prétendez m'aimer, senhor Boscán, l'interrompis-je, pourquoi ne faites-vous pas quelque chose à ce sujet ?

— Justement, dit-il après un silence, je m'en vais.

Il se redressa. Je ne bougeai pas et gardai mes yeux sur la lettre.

— N'est-ce pas un peu lâche ?

— Eh bien, répliqua-t-il, c'est vrai. J'aimerais être un peu moins... lâche. Mais il y a un problème. Un problème assez sérieux.

Je me retournai :
– De quoi s'agit-il ?
– Je crois que je deviens fou.

Je m'appelle Lily Campendonc, née Jordan.
Je suis née au Caire en 1908. En 1914, ma famille
déménagea à Londres. J'y ai été éduquée ainsi qu'à
Paris et Genève. J'épousai John Campendonc en
1929 et nous nous installâmes à Lisbonne où il
dirigeait la fabrique de liège familiale. Il mourut
d'une crise cardiaque en octobre 1931. J'étais
veuve depuis neuf mois lorsque j'embrassai pour
la première fois un autre homme, le directeur
administratif de mon défunt époux. J'avais vingt-
quatre ans quand je passai mon premier Noël
avec Agostinho da Silva Boscán.

L'invitation arriva, dactylographiée sur une
méchante feuille de papier à lettres rayé.

« Ma chère Lily,
Je vous convie à passer Noël avec moi. Durant
trois jours – les 24, 25 et 26 décembre – je réside-
rai dans le village de Manjedoura. Prenez le train
pour Cintra, puis un taxi à la gare. Ma maison,
peinte en blanc avec des volets verts, se trouve à
l'extrémité est du village. Je serais très heureux si
vous pouviez venir, ne serait-ce que pour un seul

jour. A deux conditions seulement. Un, vous ne devez m'appeler que Balthazar Cabral. Deux, ne vous épilez pas – où que ce soit.

Votre excellent ami,
Agostinho Boscán. »

« Balthazar Cabral » se tenait debout, nu près du lit dans lequel j'étais couchée. Son pénis pendait, long et fin, mais grossissant peu à peu. Il n'était pas circoncis. Je regardai Balthazar verser un peu d'huile d'olive dans la paume de sa main et se saisir doucement de son membre qu'il tira et enduisit d'huile, l'observant se raidir à son contact. Puis il ôta le drap qui me recouvrait et s'assit. Il remit de l'huile sur ses doigts et tendit le bras pour me caresser.

– Que se passe-t-il?

Je ne sentais qu'à peine ses doigts remuer.

– C'est un vieux truc, dit-il. Les centurions romains l'ont découvert en Égypte. (Il sourit.) Du moins c'est ce qu'on raconte.

L'huile coulait entre mes cuisses sur la literie. Boscán grimpa sur moi et écarta mes jambes. Il était mince et nerveux, sa poitrine plate ombrée de poils fins, ses mamelons presque noirs. La barbe qu'il s'était laissé pousser le rajeunissait étrangement.

Il s'agenouilla devant moi. Il ferma les yeux.

– Dites mon nom, Lily, dites mon nom.

Je le dis. Balthazar Cabral. Balthazar Cabral Balthazar Cabral...

« *Après le démasclage, on laisse le jeune chêne-liège se régénérer. Il faut prendre grand soin à tout moment, au cours de l'opération, de ne pas blesser la couche interne ou épiderme, car la vie de l'arbre dépend de sa bonne conservation. Une seule blessure arrête la croissance au point où elle survient, le laissant pour toujours marqué et à nu.* »

(Rapport du consul Schenk.)

Je décidai de ne pas quitter la maison ce premier jour. Je passai la majeure partie du temps au lit, à lire et à dormir. Balthazar m'apporta à manger – du café et des petits gâteaux. Dans l'après-midi, il sortit durant plusieurs heures. La maison que nous occupions était simple et carrée, située au milieu d'un jardin broussailleux en friche. Le rez-de-chaussée consistait en un salon et une cuisine avec trois chambres à l'étage. Il n'y avait ni petit coin ni salle de bains. Nous utilisâmes des pots de chambre. Nous ne nous lavâmes pas.

Balthazar revint tôt dans la soirée et rapporta des vêtements qu'il me demanda de mettre. Une petite jaquette courte, cerise, avec des épaulettes mais sans revers – d'allure vaguement allemande ou suisse –, une chemise blanche simple et des pantalons de coton noir retenus par un cordon à la ceinture. La jaquette, étroite même pour moi, me tirait aux épaules, les manches trop courtes m'arrivaient au-dessus des poignets. Je me demandai si elle appartenait à un garçonnet.

Je m'habillai avec les vêtements qu'il avait apportés et me tint devant lui. Il me regarda avec attention, l'air concentré. Au bout d'un moment, il me demanda de relever mes cheveux.

– A qui est cette jaquette? m'enquis-je tout en m'exécutant.

– A moi, dit-il.

Nous prîmes place à table. Balthazar avait préparé le dîner. De l'agneau filandreux dans une sauce huileuse. Un plat de haricots couleur pistache. Des morceaux de pain pâteux et grisâtres arrachés à une miche plate et croustillante.

Le jour de Noël, nous sortîmes marcher plusieurs kilomètres le long de routes de campagne. La matinée était fraîche avec une brise vive. Sur le chemin du retour nous fûmes surpris par la pluie et nous nous réfugiâmes sous un olivier en attendant la fin de l'averse. Adossée contre l'arbre, je fumai une cigarette. Balthazar s'assit par terre en tailleur et traça des dessins sur le sol avec une brindille. Il portait de grosses bottes et un épais pantalon de lainage rugueux. Sa barbe neuve était inégale – dense autour de la bouche et sur sa gorge, clairsemée sur les joues. Ses cheveux, pas coiffés, étaient gras. L'odeur de la pluie tombant sur la terre sèche était forte – acide et ferrugineuse, comme dans les vieilles caves.

Cette nuit-là, nous restâmes étendus côte à côte sur le lit, fiévreux et épuisés. Je glissai mes mains sous le repli de mes seins et les retirai, les doigts moites et glissants. Je me grattai la nuque. Je sentis la sueur de mes aisselles non épilées. Je me retournai. Balthazar était assis, un genou relevé, le drap repoussé loin de lui, les épaules contre le bois de la tête de lit. Il avait à son chevet une lampe à pétrole posée sur un tabouret. Un petit papillon brun voletait follement autour, sa grande ombre se cognant au plafond. Je sentis soudain un immense contentement se répandre en moi. Ma vessie pleine me faisait un peu souffrir mais mon bonheur s'accompagnait d'une profonde léthargie qui rendait prodigieux l'effort requis pour atteindre sous le lit le pot de chambre en émail.

Je tendis le bras pour caresser la cuisse de Balthazar.

– Vous pouvez partir demain, dit-il. Si vous le souhaitez.

– Non, je reste, répliquai-je immédiatement sans réfléchir. Je m'amuse. Je suis contente d'être ici.

Je me hissai pour m'asseoir à côté de lui.

– Je veux vous revoir à Lisbonne, dis-je en lui prenant la main.

– Non, je crains que non.

– Pourquoi?

– Parce que, passé demain, vous ne reverrez jamais Balthazar Cabral.

« *D'après cette maigre description nous avons maintenant du moins une idée de ce qu'est "le bois de liège" et une indication des soins permanents indispensables pour assurer une bonne récolte, tout en admettant que la narration ne rend en aucune manière justice à ce matériau des plus intéressants. Nous procéderons à présent à un examen plus approfondi pour comprendre ce qu'il est réellement, comment cette formation particulière s'opère et quelles en sont ses caractéristiques.* »

(Rapport du consul Schenk.)

Boscán : « Un de mes problèmes, un de mes problèmes mentaux, horrible – et comment vous convaincre de son effet – horrible au-delà des mots – est ma peur profonde et constante de la folie... Bien entendu, cela va sans dire : une peur aussi profonde de la folie est la folie elle-même. »

Je ne revis pas Boscán pendant une année entière. Après sa démission il devint, je crois, traducteur, pour toute compagnie prête à lui donner du travail et pas nécessairement dans l'industrie du liège.

Puis vint Noël 1933 et une autre invitation arriva, rédigée à l'encre violette, d'une écriture précise en italique, sur un épais bristol à bords déchiquetés :

« Senhora Campendonc,
Faites-moi l'honneur de passer la saison des fêtes en ma compagnie. Je descendrai à l'Avenida Palace Hotel, chambres 35-38, du 22 au 26 décembre compris.

Votre admirateur dévoué,
J. Melchior Vasconcelles.

P. S. : Apportez beaucoup de vêtements et de parfums coûteux. J'ai des bijoux. »

La suite de Boscán à l'Avenida Palace se situait au quatrième étage. Le groom m'annonça sous le nom de senhora Vasconcelles. Boscán m'accueillit dans le petit vestibule et demanda au groom d'y laisser mes bagages.

Il portait un costume gris pâle. Son visage, amaigri, était rasé de près et ses cheveux lisses plaqués sur son crâne avec de la gomina. Je distinguai les sillons raides tracés par les dents du peigne dans la chevelure luisante. Après le départ du groom, nous nous embrassâmes. Je sentis sur ses lèvres le goût mentholé de son eau dentifrice.

Boscán ouvrit une petite mallette de cuir. Elle était remplie de bijoux, strass, pierres du Rhin, rangs de fausses perles, broches diamantées et autres colifichets en marcassite. Voici quel était son plan, m'annonça-t-il : ce Noël-ci, notre cadeau l'un à l'autre consisterait en une journée. Je lui dédierai un jour entier et réciproquement.

– Aujourd'hui, dit-il, vous devez faire tout ce que je vous demande. Demain sera à vous.

– Très bien mais, je vous préviens, je ne ferai pas tout ce que vous exigerez.

– Ne vous inquiétez pas, Lily, je ne vous demanderai rien d'inconvenant.

– D'accord. Que dois-je faire ?

– Tout ce que je désire, c'est que vous portiez ces bijoux.

La suite était vaste : une salle de bains, deux chambres et un grand salon. Boscán/Vasconcelles gardait nuit et jour les rideaux tirés. Dans un coin se trouvait un poêle de fonte que l'on alimentait avec le charbon contenu dans une caisse. Il faisait chaud et sombre : nous étions isolés du bruit de la ville ; nous aurions pu être n'importe où.

Nous ne fîmes rien. Absolument rien. Je mis autant de ses bijoux de pacotille que mon cou, ma blouse, mes poignets et mes doigts purent en porter. Nous commandâmes aux cuisines de l'hôtel de la nourriture et du vin que l'on nous monta à intervalles réguliers, Vasconcelles en prenant livraison lui-même dans le vestibule. Je restai à lire sous la lumière tamisée, mes bijoux étincelant gaiement au moindre de mes mouvements. Vasconcelles fumait d'épais petits cigares et m'offrait des cigarettes ovales et parfumées. Les heures s'étirèrent lentement. Nous fumions, nous mangions, nous buvions. N'ayant rien de mieux à faire, je consommai la plus grande partie d'une bouteille de champagne et somnolai. Je me réveillai, désorientée, agacée, pour découvrir que Vasconcelles avait tiré une chaise près du sofa sur lequel je m'étais affalée et, assis là, les coudes sur les genoux, le menton sur ses poings, il me contemplait fixement. Il me questionna sur l'affaire, sur ce que j'avais fait durant l'année passée, mon voyage en Angleterre avait-il été agréable, la production de liège d'Elvas s'était-elle améliorée... Il était d'humeur bavarde, nous parlâmes beaucoup mais je fus incapable de trouver quoi que ce soit à lui demander en retour. J. Melchior Vasconcelles était, après tout, un total étranger pour moi et je sentais que ce serait soumettre sa tendre personnalité à trop rude épreuve que de m'enquérir de sa situation financière et de la vie fantaisiste qu'il menait. Ce qui ne m'empêchait pas, connaissant Boscán, d'être très curieuse.

– Cette suite doit être fort coûteuse, dis-je.

– Oh, oui. Mais je peux me le permettre. J'ai aussi une voiture, dehors. Nous pourrions aller faire une promenade.

– Si vous voulez.

– C'est une voiture américaine. Une Packard.

– Merveilleux.

Ce soir-là, pour faire l'amour dans la chambre à l'odeur fétide, il me demanda de garder mes bijoux.

J'obligeai Vasconcelles à rester nu durant la journée entière. Ce fut d'abord amusant puis fascinant d'observer son humeur changer peu à peu. Il commença par s'exciter sexuellement. Et puis, petit à petit, il devint gêné et maladroit. A un moment donné, je le regardai remplir le poêle de charbon d'une main, l'autre couvrant instinctivement ses parties génitales, comme les adolescents que j'avais vus un jour sauter dans la mer depuis la jetée à Citadella. Plus tard, il se montra irritable, agité, marchant de long en large, refusant de s'asseoir et de passer le temps à bavarder ainsi que nous l'avions fait la veille.

Au milieu de l'après-midi, j'enfilai un manteau et, le laissant seul dans la suite, partis faire une promenade en voiture. La grande Packard attendait là, comme il l'avait dit, avec un chauffeur à qui je demandai de me conduire à l'Estoril. Je m'absentai presque trois heures. A mon retour, je trouvai Vasconcelles endormi, allongé sur le lit dans la chambre surchauffée. Il dormait profondément, la bouche ouverte, bras et jambes écartés. Un soubresaut avait rejeté son pénis sur sa cuisse gauche, laissant à découvert son scrotum, étrangement brun, ridé comme un noyau de pêche, bourse molle reposant sur le couvre-lit. Sa poitrine se soulevait et s'abaissait lentement, la peau tendue sur les côtes, et je me rendis compte de sa maigreur. En m'approchant de plus près, je pouvais voir les moindres battements de son cœur.

Avant le dîner, il me demanda s'il pouvait remettre ses vêtements. Lorsque je refusai sa requête, il parut furieux. Je lui rappelai nos cadeaux et leurs obligations. Mais, en compensation, je mis une robe étroite pailletée, passai à mes doigts ses bagues clinquantes et des rangs de fausses perles à mon cou. Mes poignets cliquetaient avec ces ridicules bracelets en faux diamants. Nous nous assîmes et dinâmes en cet équipage : moi, Lily Campendonc, resplendissante de joyaux lumineux et, me faisant face, J. Melchior Vasconcelles, boudeur et morose, chipotant dans son assiette, une serviette de table de toile empesée étalée pudiquement sur les cuisses.

« Les diverses applications du liège que nous examinerons à présent valent la peine d'être décrites, car chaque utilisation puise sa raison d'être dans une ou plusieurs des propriétés physiques ou chimiques de ce merveilleux matériau. Le liège possède trois propriétés clés qui sont uniques dans une substance naturelle. Ce sont : l'imperméabilité, l'élasticité et la légèreté. »

(Rapport du consul Schenk.)

Après ce deuxième Noël en sa compagnie, Boscán
– étrangement – me manqua beaucoup plus qu'à la
suite du premier. Je fus très occupée à l'usine cette
année-là – 1934 – car nous installâmes les machines
à fabriquer du Kamptulicon, un tapis souple et
insonore fait de poudre de liège et de caoutchouc
et très prisé des hôpitaux et des salles de lecture
des bibliothèques. Mon nouveau directeur, un type
maussade, raisonnablement efficace, du nom de
Pimentel, résolvait avec compétence la plupart des
problèmes qui se présentaient, mais refusait d'as-
sumer la responsabilité de la moindre décision
d'importance. Résultat, j'étais obligée d'être présente chaque fois qu'il s'en prenait une, comme si
j'étais le symbole du pouvoir délégué, une sorte de
chaperon directorial.

Je pensais souvent à Boscán et quelquefois, la
nuit, j'aurais souhaité être avec lui. A ces moments-
là, étendue sur mon lit en train de rêver au Noël
passé et, je l'espérais, au Noël suivant, je pensais
que je ferais tout ce qu'il me demanderait – du
moins me le disais-je.

Un soir à la fin d'avril, je sortais d'une boutique
de la rua Conceição où je venais d'acheter un
cadeau de baptême pour le second bébé de ma
sœur, quand je vis Boscán entrer dans un café,
le Trinidade. Je passai lentement devant la porte
et regardai à l'intérieur. L'endroit était étroit et

sombre, sans aucune femme parmi la clientèle.
Je vis Boscán se pencher ardemment au-dessus
d'une table autour de laquelle étaient assis une
demi-douzaine d'hommes, et leur montrer une
photographie qu'ils commencèrent par examiner
d'un air soucieux avant d'afficher de grands sou-
rires. Je poursuivis ma route, agitée, la scène présente à l'esprit. C'était la première fois que je voyais
Boscán et sa vie séparés de moi. J'en demeurai
troublée et bizarrement envieuse. Qui étaient ces
hommes? des amis ou des collègues? J'aurais voulu
soudain, absurdement, partager cet instant de la
photo offerte, froncer le sourcil puis afficher un
sourire complice.

J'attendis devant le Trinidade, assise à l'arrière de
mon automobile, les vitres baissées et les rideaux
tirés. Je fis ôter sa casquette à Julião, mon vieux
chauffeur. Boscán finit par émerger vers sept heures
quarante-cinq et se dirigea d'un pas vif vers la gare
des tramways du Rocio. Il grimpa à bord d'un n° 2
que nous suivîmes dûment jusqu'à ce qu'il en des-
cende près de São Vicente. Il s'enfonça dans les
venelles pentues qui plongent dans la Mouraria.
Julião et moi abandonnâmes la voiture pour prendre
discrètement derrière lui une série de *boqueirãos* –
des rues sombres et bruyantes descendant vers le
Tage. De temps à autre, au détour d'un virage en
épingle à cheveux, on apercevait le grand fleuve
paresseux briller sous la lune et, au-delà, sur la rive
gauche, les lumières éparpillées d'Almada.

Boscán pénétra dans une petite maison décrépite. Les marches menant à la porte étaient concaves à force d'usure, les tuiles au-dessus du porche fendues et décrochées. Une lumière jaunâtre brillait derrière les rideaux de dentelle sales. Julião arrêta un passant pour demander qui habitait là. Senhor Boscán, lui fut-il répondu, avec sa mère et ses trois sœurs.

– Mrs Campendonc?
– Mr Boscán?
Je m'assis en face de lui. Une fois que la surprise et le choc commencèrent à s'effacer de son visage, je vis qu'il était pâle et fatigué. Ses doigts caressèrent son nœud papillon, ses lèvres, le lobe de ses oreilles. Il fumait un petit cigare, brun chocolat, et il portait son vieux costume bleu.

– Mrs Campendonc, ceci n'est pas vraiment un établissement convenable pour une dame.

– Je voulais vous voir.

Je lui touchai la main mais il la retira d'un mouvement brusque comme si mes doigts le brûlaient.

– C'est impossible. J'attends des amis.

– Est-ce que vous allez bien? Vous semblez épuisé. Vous me manquez.

Son regard fit rapidement le tour du café.

– Comment marche le Kamptulicon? Pimentel est un brave homme.

– Venez chez moi. Ce week-end.

– Mrs Campendonc...

Il avait un ton désespéré.

– Appelez-moi Lily.

Il joignit les doigts.

– Je suis un homme occupé. Je vis avec ma mère et mes trois sœurs. Elles m'attendent chaque soir à la maison.

– Prenez des vacances. Dites que vous allez... en Espagne pendant quelques jours.

– Je ne prends qu'un congé par an.

– A Noël?

– Elles vont chez ma tante à Coimbra. Je reste pour surveiller la maison.

Un jeune homme s'approcha de la table. Il portait un incroyable pardessus jaune qui lui battait les chevilles. Il fut stupéfait de me voir assise là. Boscán parut encore plus malade en nous présentant. J'ai oublié son nom.

Je pris congé et gagnai la porte. Boscán me rattrapa.

– A Noël, dit-il doucement. Je vous verrai à Noël.

Une carte postale sépia du palais de la reine Maria Pia à Cintra :

« Je serai à un kilomètre à l'ouest de la plage principale de Paco d'Arcos. J'ai loué une chambre à la Casa de Bizoma. Arrivez s'il vous plaît à l'aube, le 25 décembre, et partez au coucher du soleil.

Je suis votre ami,
Gaspar Barbosa. »

« L'écorce du chêne-liège est levée tous les huit ou dix ans, la qualité du liège s'améliorant à chaque levage. Une fois la section de liège ôtée de l'arbre, la surface extérieure est grattée et nettoyée. Les sections – de larges planches incurvées – sont redressées en les chauffant sur le feu et en les empilant sur une surface plane. Au cours de l'opération de chauffage, la surface est brûlée et par conséquent les pores se ferment. C'est le résultat de ce processus que l'industrie appelle le nerf du liège. C'est là que le liège prend tout son prix. Un liège possède du nerf quand ses propriétés significatives – légèreté, imperméabilité, élasticité – sont scellées à jamais dans le matériau. »

(Rapport du consul Schenk.)

Dans la lumière sereine et pisseuse de l'aube, la plage de Paco d'Arcos paraissait d'un gris d'ardoise. Les cafés du bord de mer étaient fermés et donnaient une impression d'abandon et de décrépitude comme seules les stations balnéaires peuvent le faire hors saison. Pour ajouter à la mélancolie de cette scène, une pluie fine et froide tombait sur l'Atlantique. Debout sur la route de la côte, sous mon parapluie, je regardai autour de moi. A gauche, je distinguai à peine la tour de Belém. A droite, les collines de Cintra étaient enveloppées d'une épaisse brume opaque. Je fis demi-tour et remontai la route en direction de la Casa de Bizoma. En approchant, je vis Boscán assis sur un balcon du deuxième étage. Toutes les autres fenêtres de ce côté de l'hôtel étaient soigneusement fermées.

Une jeune fille d'environ seize ans me fit entrer et me conduisit à la chambre.

Boscán portait un monocle. Sur une table derrière lui se trouvaient deux bouteilles de cognac. Nous nous embrassâmes, nous nous séparâmes.

– Lise, dit-il. Je veux vous appeler Lise.

Même alors, même ce jour-là, je répondis non.

– C'est là toute l'histoire, lui dis-je. Je suis moi, Lily, qui que vous soyez.

Il s'inclina en feignant une courbette :

– Gaspar Barbosa... Voulez-vous boire quelque chose ?

Je bus un peu de cognac avant de permettre à Barbosa de me déshabiller, ce qu'il fit avec un soin académique et une grande délicatesse. Lorsque je fus nue, il s'agenouilla devant moi, pressa ses lèvres sur mon bas-ventre et enfouit son nez dans les poils du pubis. Toujours agenouillé, il m'enlaça, serrant fort ses bras autour de mes cuisses, la tête posée sur ma hanche. Il se mit à pleurer doucement et je le relevai pour le conduire vers le lit étroit. Il se dévêtit et nous grimpâmes dans le lit, serrés l'un contre l'autre, nos jambes entrelacées. Je tendis le bras pour caresser son pénis, mais celui-ci était flasque et mou.

– Je ne sais pas ce qui ne va pas, dit-il. Je ne sais pas.

– Nous attendrons.

– N'oubliez pas que vous devez partir au coucher du soleil. Rappelez-vous.

– Je m'en souviendrai.

Nous fîmes l'amour plus tard, mais pas de manière très satisfaisante. Il paraissait distrait et fatigué – aucun rapport avec Balthazar Cabral ou J. Melchior Vasconcelles.

A midi – le restaurant de l'hôtel était fermé – nous fîmes un repas très simple qu'il avait lui-même apporté : du pain, des olives, un fromage de chèvre aigrelet, des oranges et des amandes. Il en était déjà alors à sa deuxième bouteille de cognac. Après le déjeuner, je fumai une cigarette. Je lui en offris une – j'avais remarqué qu'il n'avait pas fumé de toute la matinée. Il l'accepta, mais l'éteignit au bout de deux ou trois bouffées.

– Je me suis pris d'un mystérieux dégoût pour le tabac, dit-il en se reversant du cognac.

Dans l'après-midi, nous tentâmes encore de faire l'amour mais sans succès.

– C'est ma faute, dit-il. Je ne suis pas bien.

Je lui demandai pourquoi il m'avait fallu arriver à l'aube et pourquoi je devais m'en aller au crépuscule. Il m'expliqua que c'était à cause d'un poème qu'il avait écrit et intitulé : « Les roses du Jardin d'Adonis ».

— Vous ? Boscán ?

— Non, non. Boscán n'a écrit qu'un seul recueil de poèmes. Il y a des années. Ceux-ci sont de moi, Gaspar Barbosa.

— De quoi s'agit-il ?

Le jour tombait : il était temps pour moi de partir.

— Oh... (Il réfléchit.) Vivre et mourir.

Il me cita le vers qui expliquait la nature tronquée de mon troisième Noël en compagnie d'Agostinho Boscán. Il s'assit à la table devant la fenêtre, vêtu d'une chemise blanche sale et du pantalon de son costume de serge bleue, et se versa une rasade d'alcool.

— C'est à peu près ceci, en gros, dit-il. Je traduis : « Faisons durer nos vies un seul jour — De sorte qu'il y ait la nuit avant et la nuit après le peu que nous durons. »

« Les possibilités d'utilisation du liège sont illimitées. Et pourtant lorsque nous parlons de ses usages nous ne traitons que de ceux résultant de la singularité propre du liège et non du grand nombre auxquels il a été adapté, car son utilité ne connaîtra peut-être pas de fin et, à mon avis, ses qualités particulières ne sont que

peu appréciées. Quoi qu'il en soit, il représente la plus merveilleuse écorce, rend depuis longtemps de grands services, et ses avantages, même en tant que bouchon, ont été multiples. Un matériau vraiment merveilleux et plein d'intérêt, à tel point qu'il me semble avoir échoué à lui rendre justice dans mon humble entreprise de décrire le Quercus Suber de Linnaeus – *le Liège.* »

(Rapport du consul Schenk.)

Boscán, au cours, je crois, de ce dernier Noël : « Voyez-vous, c'est parce que je ne suis rien que je peux imaginer n'importe quoi... Si j'étais quelque chose, je serais incapable d'imaginer. »

C'est au début de décembre 1935 que je reçus ma dernière communication d'Agostinho Boscán. J'attendais de ses nouvelles car, ayant eu une offre d'achat de la part de l'Armstrong Cork Company, je commençais à envisager de vendre l'affaire et peut-être de retourner en Angleterre.

Je me trouvais dans mon bureau un matin lorsque Pimentel frappa à la porte et m'annonça qu'une senhora Boscán voulait me voir. Durant un moment exquis et absurde, je crus qu'il s'agissait peut-être là du plus singulier des déguisements d'Agostinho, puis je me souvins qu'il avait trois sœurs et une mère encore vivante. Je sus avant qu'elle n'entre que cette femme m'apportait la nouvelle de la mort de Boscán.

Petite et boulotte, le visage doux et pâle, senhora Boscán, toute vêtue de noir, tripotait le manche de son parapluie tout en parlant. Son frère avait spécialement demandé que je fusse informée de son décès dès qu'il surviendrait. Il était mort deux nuits auparavant.

— De quoi est-il mort?

— D'une cirrhose... Il était... Mon frère était devenu un très fort buveur. Il était très malheureux.

— A-t-il mentionné autre chose à me dire? Un message?

Senhora Boscán s'éclaircit la gorge et cligna des yeux.

— Il n'y a pas de message.

— Pardon?

— C'est ce qu'il m'a dit de vous dire: «Il n'y a pas de message.»

— Ah.

Je réussis à dissimuler mon sourire en offrant à senhora Boscán une tasse de café. Elle accepta.

— Il nous manquera à toutes, dit-elle. Un homme si bon, si tranquille.

Extrait d'une notice nécrologique d'Agostinho da Silva Boscán:

« ... *Boscán naquit en 1888 à Durban, Afrique du Sud, où son père était consul du Portugal. Il était le* plus jeune d'une famille de quatre enfants, les trois aînés étant des filles. C'est en Afrique du Sud qu'il reçut une éducation britannique et apprit à parler l'anglais. Le père de Boscán mourut alors que celui-ci avait dix-sept ans et la famille retourna à Lisbonne où Boscán devait résider tout le reste de sa vie. Il travailla surtout comme traducteur commercial et directeur administratif de diverses entreprises industrielles, essentiellement dans l'industrie du liège. En 1916, il publia Insensivel, un petit recueil de poèmes rédigés en anglais. Le seul et unique critique portugais qui les remarqua les décrivit dans un court article comme "une triste perte de temps". Boscán fut actif à une certaine époque dans les cercles littéraires de Lisbonne et publia de temps à autre des poèmes, des traductions et des articles dans la revue trimestrielle Sombra. La mort de son meilleur ami, Xavier Quevedo, qui se suicida à Paris en 1924, provoqua un changement soudain et marqué de sa personnalité qui, à partir de là, devint de plus en plus mélancolique et irrationnelle. Il ne se maria jamais. Sa vie ne peut se décrire que comme dépourvue d'événements... »

Souvenirs
de la mouche-saucisse

Le fourmi-lion construit ses pièges dans les sols sablonneux. Il confectionne – de façon ou d'autre – un cône renversé, d'une géométrie parfaite. Enseveli, invisible, il se tapit à la pointe du cône, attendant que n'importe quel petit insecte tombe dedans. La chose faite, le fourmi-lion, dans un premier temps, ne bouge pas. Les parois du cône sont si lisses, les grains de sable qui les composent si fins, que seuls les plus gros insectes peuvent y trouver prise. Tandis que les plus petits glissent en battant des pattes sur les pentes raides de l'entonnoir, le fourmi-lion crache – ou lance d'une pichenette – des jets de sable sur ses victimes et les fait dégringoler au fond du cône d'où elles sont traînées sous le sable et dévorées.

Le plus grand cône de fourmi-lion que j'aie jamais vu était profond d'environ huit centimètres ; le prédateur lui-même n'en mesurait qu'un. Je l'attrapai sous notre maison de Signals Road, à Achimota, dans ce qui fut la Gold Coast, la Côte de l'Or. La maison était bâtie sur des pilotis de béton de deux mètres de haut. Dessous, rien que du sable, grêlé de pièges de fourmis-lions. Un paysage lunaire de cratères impeccables. Des centaines et des centaines de fourmis-lions. Une zone interdite à tout minuscule insecte rampant. Notre truc à nous consistait à déterrer un fourmi-lion et à le jeter dans le trou d'un plus grand.

Je pense toujours aux fourmis-lions lorsque je songe à notre maison d'Achimota. C'est la première de nos demeures d'Afrique dont je me souvienne, bien que nous en ayons habité deux autres avant celle-là. Je suis né dans un mess d'officiers reconverti, fait de briques de boue et couvert d'un toit en tôle ondulée. Achimota se trouvait à dix kilomètres d'Accra et de la côte. Sur les immenses plages, les rouleaux de l'Atlantique, hauts de trois mètres, venaient se briser en écume. Ces plages nous furent interdites jusqu'à ce que nous soyons plus âgés et que nous puissions surfer sur le ventre, mais restaient des parties rocheuses avec des petites flaques grouillantes de vie marine. Cinq ans, assis le derrière dans une mare, de l'eau tiède jusqu'à la taille. La vie était belle.

Nous déménageâmes d'Achimota à Legon, cinq kilomètres plus loin à l'intérieur des terres, sur le nouveau campus de l'Université du Ghana. Nous vivions dans une grande maison en forme d'U, peinte en blanc avec un toit de tuiles rouges. Et une vaste véranda, pouvant contenir trente personnes, d'où l'on avait vue sur l'immense jardin et la campagne environnante – collines herbeuses, bouquets de petits arbres tenaces.

L'insecte que j'associe avec la maison à Legon, c'est la mite de velours. Ces créatures complètement inoffensives, de la taille d'un ongle et d'un rouge vif scintillant, semblaient vraiment recouvertes d'une sorte de fourrure veloutée. Ce sont les seuls insectes que j'aie connus que l'on pût caresser. A certaines périodes de l'année, après la saison des pluies en particulier, ils proliféraient et l'herbe autour de la maison en regorgeait. Mes sœurs et moi nous organisions des ranchs de mites de velours, en les réunissant par centaines dans des corrals faits de brindilles. Les mites y erraient sans but, des mètres carrés de velours écarlate changeant, un tapis rouge en ébullition.

Nous partîmes pour Ibadan, au Nigeria, en 1964. Notre maison sur le campus de l'Université s'étalait longue et droite. Le jardin, entouré d'une épaisse haie d'hibiscus et de poinsettias, était rempli d'arbres : des frangipaniers, des fromagers et d'élégants grands pins casuarinas. J'empruntai la machette de notre jardinier et je m'attaquai aux frangipaniers. J'enfouissais la lame recourbée (made in Czechoslovakia) dans le tronc souple et tendre. L'arbre laissait couler une substance laiteuse qui s'égouttait toute la journée. Plus tard je m'achetai ma propre machette pour cinq shillings. Elle m'était très utile pour abattre plein de choses. Ibadan est situé au milieu de la jungle tropicale, tout y pousse à une vitesse fantastique. Je taillai deux piquets et les plantai dans le sol pour installer notre filet de badminton. Quand je revins de pension trois mois plus tard, ils s'étaient transformés en arbres.

L'insecte que m'évoque notre maison d'Ibadan, c'est la mouche-saucisse. En réalité, il ne s'agit pas du tout d'une mouche mais d'une sorte de fourmi boursouflée qui développe des ailes et s'envole après la pluie. La mouche-saucisse mesure deux centimètres et demi de long et elle est d'un brillant brun chipolata : d'où son surnom. Le soir, après l'averse, vous fermez toutes les fenêtres. Les ailes se déplient sur les carapaces des mouches-saucisses qui décollent en masse. Elles ne sont pas très douées pour le vol – l'air n'est pas leur élément naturel – et on dirait qu'elles ont simplement emprunté leurs ailes pour la journée. Elles se dirigent au petit bonheur vers la lumière la plus proche. A l'intérieur de la maison, vous les entendez se heurter aux fenêtres et aux moustiquaires en grillage. Des escadrons tournent maladroitement autour des éclairages, dehors. Beaucoup meurent par suite de collision en plein air, d'écrabouillage contre les murs ou autres accidents du même acabit. Le lendemain matin, la véranda craque sous les pas, couverte comme elle l'est de leurs cadavres coriaces. Des lambeaux délicats et chatoyants d'ailes abandonnées gisent dans les coins : reprenant leur existence terrienne, les mouches-saucisses survivantes ont rampé quelque part ailleurs pour compléter leur cycle de vie.

Mon père partit pour l'Afrique durant la Deuxième Guerre mondiale. Il appartenait au Royal Army Medical Corps et fut envoyé à Lagos, à Jos, au Nigeria du Nord (où l'on cultive toute l'année sur le plateau les fraises et les pommes de terre nouvelles) et sur la Côte de l'Or. Nous avons une photo de lui, très jeune et très mince, assis dans un fauteuil de rotin devant une case en bambou. Il revint en Côte de l'Or en 1950 avec ma mère, et le projet de n'y passer que quelques années. Il y resta jusqu'en 1977, date à laquelle il fut obligé de partir pour raisons de santé. Il avait attrapé une maladie curieuse et rare appelée la fièvre Q. Médecin, il avait travaillé toute sa vie en Afrique et, en fin de compte, l'Afrique fut littéralement sa mort.

Il commençait sa journée très tôt le matin. Il continuait sans interruption jusqu'à deux heures de l'après-midi, puis rentrait déjeuner à la maison. Il dormait jusqu'à quatre heures, après quoi il partait faire neuf trous de golf. Le soir, ma mère le rejoignait avec des amis sur la véranda du club (la boisson était abondante, bon marché et à crédit). Parfois, ils improvisaient un dîner. Rien de frénétique ou de débauché dans cette existence – on était très loin de Happy Valley –, mais en comparaison de la vie que ces membres de la classe moyenne, exerçant des professions libérales, auraient pour la plupart vécue en Grande-Bretagne dans les années cinquante, elle devait sembler paradisiaque.

Cette vie, ils pouvaient la mener parce que tout le monde avait des domestiques. Un matin, une semaine à peine après leur arrivée en Côte de l'Or, mes parents découvrirent un petit vieux assis sur les marches de la cuisine. Il expliqua qu'il s'appelait Kofi et qu'il avait entendu dire qu'ils cherchaient un cuisinier. Kofi fut notre cuisinier durant les quatorze années suivantes. Lui et sa famille vivaient dans un village à trois kilomètres de là. A Legon, notre maison possédait un logement de service, un simple, pour ne pas dire primitif, petit cottage en béton, situé à quelques mètres du bâtiment principal, et qu'occupait le fils de Kofi, Kwame, alors âgé d'une vingtaine d'années. Il est aujourd'hui commandant d'un bataillon de chars de l'armée ghanéenne. Kwame nous servait de baby-sitter. Mes sœurs et moi passions souvent la soirée dans sa chambre étouffante à déguster le plantain frit très épicé qu'il préparait, dans un coin, sur un petit brasero de fonte.

Au Nigeria, nous avions un cuisinier et un boy, Johnson et Israël. Johnson était très vieux, ses cheveux grisonnaient et il était très ancré dans ses habitudes. Quand je relis *Mr Johnson* de Joyce Carey, je repense toujours à notre vieux cuisinier. Le Johnson de Carey est bien plus jeune, mais ils ont tous deux beaucoup en commun. Johnson, malgré plusieurs mariages, n'avait jamais eu d'enfants. Ceci, disait-il, était la faute des femmes qu'il avait épousées et sans aucun rapport avec sa virilité. Juste avant que nous quittions le Nigeria, il se remaria avec une très jeune fille. Elle lavait notre linge et, quand Johnson s'absentait l'après-midi, elle recevait la visite d'autres hommes. Finalement elle tomba enceinte et eut une petite fille. Jamais on ne vit père plus fier.

Johnson était très grand et dégingandé, Israël extrêmement petit. Israël allait partout à pied, très vite. C'était un Ibo, originaire de l'Est du pays et, durant la guerre du Biafra, il s'engagea dans l'armée biafraise afin d'avoir de quoi manger. Un matin, on lui donna un fusil et cinq cartouches et on l'expédia dans la brousse repousser une attaque des forces fédérales. Il racontait toujours très franchement ce qu'il avait fait ensuite. Il ôta sa veste de camouflage – le seul élément d'uniforme qu'il possédât – et l'enterra. Puis il jeta son fusil et déserta.

Un jour, dans une quelconque salle d'attente ou une librairie de gare, je dénichai un exemplaire du *Scientific American*. Sur la couverture se trouvait la photo de ce qui ressemblait à un dessus-de-lit en mauvais patchwork, tout en gris, rouille et brun ocre. Sans avoir besoin de consulter le thème de la revue, *L'Architecture urbaine dans le tiers-monde* ou quelque chose d'équivalent, je reconnus immédiatement une vue aérienne du centre d'Ibadan. Ibadan demeure plus vivante dans mon esprit qu'aucune des autres villes dans lesquelles j'ai vécu. On la surnomme, parfois avec tendresse, « le plus grand village d'Afrique ». Elle a une population de plus d'un million d'habitants. La plupart des constructions, dans ses confins toujours plus étendus, sont de boue séchée et de tôle ondulée. Les rues, constamment engorgées de voitures, s'effondrent sur les bas-côtés en fossés larges et profonds... De chaque maison et de chaque boutique s'échappe à plein volume le son des radios. La nuit, les immeubles sont illuminés par des tubes fluorescents, essentiellement verts et bleus. Il existe des transports en commun mais la manière la plus courante de se déplacer dans la ville est d'utiliser des camionnettes Volkswagen. Quand vous voyez arriver une VW, vous tendez la main et elle s'arrête. Vous grimpez dedans (les portes à glissière ont été supprimées) et vous donnez six pence au gamin suspendu à l'extérieur. La camionnette parcourt certains itinéraires de base. Quand vous voulez descendre, vous tapez du poing au plafond. La VW s'arrête tout de suite.

J'utilisais ce moyen de transport pour aller du campus en ville, au Recreation Club. Là on pouvait jouer au tennis, au golf et au squash, nager dans la piscine, prendre un en-cas ou un verre aux différents bars. Pendant les vacances scolaires, le club devenait le point de rassemblement des enfants d'expatriés. Nous y passions la journée entière. Le soir, nous allions au cinéma ou à une *party*. Il y avait des tas de *parties*. Des *parties* en ville, des *parties* à l'université, des *parties* à la New Reservation, des *parties* à Bodija. Des *parties* de jeunes adolescents : les mêmes garçons, les mêmes filles, des disques et de la bière, parfois un punch au gin clandestin, fabriqué sur les rivages de criques lointaines et réputé vous rendre aveugle si vous en buviez trop.

Les excursions hors de la ville étaient rares. Parfois nous allions à la pêche. Deux heures de conduite dans la jungle pour trouver une rivière brunâtre et pêcher la perche au lancer.

Parfois nous descendions à Lagos camper pendant une semaine dans des cabines de plage branlantes de Tarqua Bay. Pêcher sur la jetée, faire de la voile – en esquivant les cargos entrant dans le port de Lagos, s'adonner au surf sur les plages à déferlantes et, la nuit, dormir sur des lits de camp en plein air, sous les étoiles et une moustiquaire. Les Américains appellent les enfants de leur personnel militaire servant à l'étranger les « morveux de l'armée » ou les « morveux de l'aviation ». Il y avait des moments où nous étions des « morveux coloniaux ». Paresseux, nombrilistes, hédonistes et totalement dépourvus de curiosité à l'égard du pays dans lequel nous vivions.

Tout ceci changea avec la guerre du Biafra. Je me rappelle très bien le jour du coup d'État militaire qui précipita le pays dans la guerre civile. Je devais repartir en Angleterre pour le début du trimestre. Johnson, notre cuisinier, m'annonça, laconique, que je ne partirais pas. Pourquoi pas? demandai-je. Parce que, dit-il, il y aura un coup d'État militaire lundi. Il avait raison.

Durant la guerre (1967-1970), le ton de la vie changea radicalement, ceci surtout à cause de l'écrasante présence de l'armée nigériane. Dès votre descente d'avion à l'aéroport d'Ikeja, les soldats en armes devenaient un trait permanent de votre journée. Même en permission, les soldats gardaient leurs fusils avec eux : en autobus, dans les bars, en promenade avec leurs enfants.

Un soir où nous circulions en voiture mon père et moi sur une route tranquille, nous dépassâmes, au détour d'un virage, un fût de pétrole avec une planche appuyée dessus et qui mordait de cinquante centimètres sur la voie. Ce ne fut qu'après avoir vu une demi-douzaine de soldats surgir de derrière les arbres avec leurs Kalachnikov braquées sur nous que nous comprîmes qu'il s'agissait d'un barrage. Nous stoppâmes brutalement et descendîmes. Les armes s'abaissèrent et l'auto fut fouillée. Les soldats étaient jeunes et nerveux. Ils cherchaient des passeurs de devises, dirent-ils. Ils portaient des bouts d'uniformes de camouflage complétés par leurs propres vêtements : baskets, pantalons de flanelle, une chemise hawaïenne. Leurs fusils paraissaient très vieux – des surplus du Pacte de Varsovie – avec des numéros gravés grossièrement dans la crosse. Vous regardiez ces types qui s'étaient engagés à cause de la bière et des cigarettes que l'armée fournissait gratuitement, et vous vous demandiez ce qui se passait au cœur géographique de la rébellion.

Je ne suis pas retourné au Nigeria ni dans aucune autre partie de l'Afrique depuis 1973. J'ai commencé à écrire sur ce sujet en 1976, quand j'ai pondu un roman (jamais publié) sur la guerre du Biafra, quelques exercices de réflexion ultérieurs et un occasionnel accès de nostalgie en gardent le souvenir très vif dans ma mémoire. Une pluie particulièrement abondante, une nuit chaude et humide, le chant des grillons, une bière fraîche un jour de canicule sont toujours mesurés à leur équivalent africain et toujours jugés imparfaits. Mais c'est la musique de Nat King Cole qui s'est révélée le plus efficace des déclics proustiens.

A son lever le matin, mon père avait pour habitude de mettre presque aussitôt un disque sur le grammophone en noyer ciré qu'il avait fait venir d'Angleterre. Invariablement, il choisissait un disque de Nat King Cole, dont les premières mesures étaient accueillies par de bruyantes rouspétances de la part du reste de la famille. Mais il n'y prêtait nulle attention. Il se plantait au centre de la pièce principale, les portes coulissantes grandes ouvertes pour laisser entrer la brise fraîche de l'aube, et il contemplait le paysage ensoleillé en chantant avec Nat King Cole. Il me faisait toujours l'impression dans ces moments-là d'un homme très heureux. Chaque fois que j'entends cette inimitable voix sèche, je pense à mon père et à l'Afrique au petit jour.

Table

RÉALISATION : PAO ÉDITIONS DU SEUIL
IMPRESSION : BUSSIÈRE CAMEDAN IMPRIMERIES
À SAINT-AMAND-MONTROND
DÉPÔT LÉGAL : MAI 1996. N° 25226-3 (1/1188)